D1240527

Le lycée des vampires

Titre original : *Vampire High*

© 2003 by Douglas Rees
This translation published by arrangement with
Random Children's Books
a division of Random House, Inc.

Pour l'édition française :
© 2004 Éditions Milan, pour la première édition
© 2010 Éditions Milan, pour le texte et l'illustration
de la présente édition
300, rue Léon-Joulin, 31101 Toulouse Cedex 9, France
Loi 49-956 du 16 juillet 1949
sur les publications destinées à la jeunesse
ISBN : 978-2-7459-4422-1

Douglas Rees

Le lycée
des vampires

**Traduit de l'américain
par Élise Poquet**

MiLAN PoCHe

À ma planète Terre
et à tous ses habitants
D. R.

1

Coincé dans un trou paumé

Tout a commencé le jour où je suis rentré du lycée avec une série de zéros : en anglais, en maths, en histoire-géo. J'avais même réussi à obtenir une mauvaise note en gym et en assiduité. Et j'étais plutôt fier de mon exploit.

On ne pouvait pas en dire autant de mes parents.

– Qu'est-ce que c'est que ça ? rugit mon père en brandissant mon bulletin scolaire.

– Juste un relevé de notes. Des chiffres qui indiquent comment on se débrouille dans telle ou telle matière.

– C'est bien ce que je vois. Et il y a également les appréciations des professeurs : *Cody n'a rendu aucun devoir depuis deux mois… Ce trimestre, Cody a été absent ou en retard chaque jour.*

« Oh ! en voilà une bonne ! s'étrangla mon père, avant de reprendre sa lecture à haute voix : *Cody s'évertue à démontrer qu'Isaac Newton s'est trompé quelque part dans la loi de la gravitation. À part déranger ses camarades avec ses expériences – qui consistent à sauter sans arrêt de mon bureau en battant des bras –, il n'a absolument rien fait.*

– Hum…

– Ah ! Venons-en à l'assiduité. Pas un seul commentaire de ton professeur principal à ce sujet. C'est à toi de m'expliquer comment tu as pu avoir un zéro.

– Fastoche. Il suffit de ne pas être là quand il fait l'appel.

– Et ça ? glapit mon père, continuant sur sa lancée. Un petit mot du directeur ? Oui, ça m'en a tout l'air : *Votre fils possède les facultés intellectuelles d'un âne bâté, et sa capacité d'attention ne dépasse pas celle d'un singe. On ne peut pas évaluer son travail pour la bonne raison qu'il n'a rien fait. Il est paresseux, sournois et inapte au travail scolaire. Nul doute qu'il passera le restant de sa vie à redoubler. Pourvu que ce soit dans un autre établissement… Et s'il retournait en Californie ?*

La suggestion me semblait tout à fait judicieuse, mais Papa serait sûrement d'un autre avis.

Nous échangeâmes ce regard noir qui était devenu habituel depuis qu'il nous avait obligés à quitter la Californie pour le suivre à La Nouvelle-Ninive, ce trou du Massachusetts. Cette technique consistait à ne pas baisser les yeux. Ce que ni lui ni moi n'étions d'ailleurs prêts à faire.

C'est alors que Maman arrêta de soupirer et de gémir pour intervenir en ma faveur. Il était temps !

– Ce n'est pas sa faute, Jack.

Chic ! Un point pour moi !

– C'est le fait qu'on soit ici.

Deux points pour moi.

– Il est malheureux depuis qu'on a déménagé.

Trois points pour moi. Papa est hors jeu !

Je jubilai ; mon père ne savait pas encore qu'il avait perdu.

– Beth, il se fait du tort à lui-même, dit-il. On ne peut pas le laisser continuer comme ça.

Hum… Je me demandai comment il aurait pu m'en empêcher… Il rejeta la tête en arrière, comme un avocat qui chercherait à convaincre un jury que sa plaidoirie relève tout simplement du bon sens, et que le client mérite d'obtenir gain de cause.

– Écoute-moi bien, fiston. Ce déménagement, c'est la meilleure chose qui nous soit arrivée. Je tournais en rond chez Compte et fils. Ils voulaient bien de moi comme avocat, pour traiter leurs affaires les plus ardues, mais pas pour me donner de l'avancement. Non, comme je ne m'appelais pas Compte, il n'en était pas question. Alors, quand l'occasion s'est présentée chez Blanchard, Roublé et Croquin, c'était le moment ou jamais. C'est pour ça qu'on est ici. Et tu ferais bien de t'y habituer, car on y est, et on y reste !

« Bon. Puisque c'est comme ça, mes résultats ne risquent pas de s'améliorer, et tu ferais bien de t'y habituer, toi aussi », pensai-je.

Papa regarda une fois de plus mon bulletin scolaire.

– Jamais là au moment de l'appel, marmonna-t-il. Même pas fichu de faire acte de présence.

Maman s'approcha et me prit dans ses bras.

– Inutile de t'énerver, Jack, murmura-t-elle. Ces notes, c'est un appel au secours. Cody a besoin de se raccrocher à quelque chose dans la vie. Quelque chose qui lui tienne à cœur.

«Bonne idée, Maman. J'aimerais bien retourner chez nous.»

– Des activités extrascolaires, par exemple! s'exclama Papa. Aider les cantonniers après les cours, ou ramasser les poubelles. Il lui faut des compétences qui lui permettront de subvenir rapidement à ses propres besoins, puisqu'il est hors de question qu'il fasse des études.

– C'est injuste, reprit Maman. Tu nous as traînés à des milliers de kilomètres de la maison pour ta promotion et tu t'attends à ce qu'on réagisse comme s'il ne s'était rien passé. Ce n'est pas réaliste.

Le «nous» résonna en moi comme un message chargé d'espoir, comme un heureux présage. Peut-être que ce «nous» allait me ramener en Californie. Je faillis utiliser la technique du regard noir, mais je me ravisai et baissai la tête.

Comprenant soudain que Maman venait de marquer un point, Papa changea brusquement de sujet.

– Au fait, cette casquette abominable, il est grand temps que tu t'en débarrasses. Tu pourrais au moins éviter de la porter à la maison.

Il s'agissait de ma casquette de base-ball que je mets toujours devant derrière parce que Papa a horreur de ça.

– Ne change pas de sujet, intima Maman. Tu n'es pas au tribunal ici. C'est normal. C'est de son âge !

– D'accord, d'accord, soupira Papa. Dis-nous, Cody, dis-nous ce qui pourrait te rendre plus heureux.

– Des tatouages.

Mon père roula mon bulletin scolaire en une boule bien compacte.

– Je suis d'accord avec toi sur certains points, Beth, admit-il. Notre fils a besoin de changer de vie. Un établissement plus strict, voilà ce qu'il lui faut. Je me renseigne dès demain.

J'étais si inquiet que, le lendemain, mon vieux lycée, Cotton Mather, me parut presque agréable, avec ses craquelures au plafond et ses planchers de bois qui gémissaient au moindre pas. Même les toilettes des garçons, sombres et nauséabondes, ne m'inspiraient plus le dégoût habituel. Tout juste si je n'éprouvais pas une pointe de nostalgie à l'idée de partir. Non, rectification : j'avais tout simplement peur que Papa trouve un bahut encore plus infâme que Cotton Mather.

Ce soir-là, il rentra à la maison avec le sourire.

– Qui cherche trouve ! claironna-t-il, en brandissant deux grosses enveloppes marron. J'ai appris qu'il existe non pas un, mais deux établissements très stricts dans cette bonne ville. J'ai tous les renseignements ici.

– Tu n'as pas perdu de temps, constata Maman, en croisant les bras.

– En fait, deux de mes collègues ont des enfants dans l'un ou l'autre de ces établissements. La fille et le fils de Clancy Kincaid sont à Notre-Dame-des-Devoirs-Éternels. Il en est très content. Et il y a un lycée public, qui est tout aussi excellent, avec des critères d'admission encore plus sévères – il s'agit du lycée Vlad Drac. Hamilton Antonescu y a inscrit sa fille.

Notre-Dame-des-Devoirs-Éternels ? Au secours ! J'avais déjà entendu parler de cet endroit. Tous les enfants du coin craignaient d'y être envoyés.

– Mais, Papa, nous ne sommes même pas catholiques !

– Ce n'est pas un problème, dit mon père d'un ton satisfait. La plupart des élèves difficiles pratiquent une autre religion. Tôt ou tard, ils finissent tous par rentrer dans le rang. C'est ce que m'a dit Clancy Kincaid.

Je n'eus aucun mal à le croire. Je me souvenais d'y être allé une fois, un jour où j'avais séché les cours. D'après les rumeurs, on entendait des cris derrière les murs. Je n'avais rien remarqué de la sorte, mais je n'oublierais jamais les mots gravés au-dessus de la porte :

VOUS QUI ENTREZ ICI,
ABANDONNEZ TOUT ESPOIR. (DANTE.)

– Mais ça doit être cher, non ? bredouillai-je. Un lycée privé… ça coûte sûrement les yeux de la tête.

– On peut se le permettre, se rengorgea Papa. Je gagne bien plus d'argent qu'avant. Mais sans doute préférerais-tu aller à Vlad Drac ? Si jamais tu étais accepté, évidemment…

Je n'en savais rien. De Vlad Drac, je ne connaissais que le nom. À mon bahut, les élèves se bornaient à faire des commentaires du genre : « L'équipe de foot joue contre Vlad samedi. Prions pour eux. »

La première fois que j'avais entendu ça, j'avais demandé des explications à un camarade, mais je n'avais eu droit qu'à un « Ferme-la ! » des plus laconiques.

« Allez ! Dis-moi, c'est à Vlad Drac qu'ils expédient tous ceux qui se plantent à Notre-Dame-des-Devoirs-Éternels ? avais-je insisté.

— Écoute bien, espèce d'abruti, m'avait-il averti. Ne répète jamais ces mots-là. Jamais en entier. Et si tu veux savoir, Vlad Drac n'est pas une poubelle réservée aux nuls de N-D-D-E. Aucun parent digne de ce nom n'enverrait ses enfants dans cet endroit. »

Je n'avais pas réussi à en savoir plus.

— Vlad Drac, c'est un drôle de nom pour un lycée, fit remarquer Maman.

— Qu'est-ce que tu veux dire ? s'enquit mon père.

— Vlad l'Empaleur était un monarque roumain du xve siècle. Tristement célèbre pour sa cruauté. Il faisait empaler ses prisonniers sur des épieux. Je me demande pourquoi le conseil d'administration a choisi ce nom-là...

— Il semble qu'il y ait de nombreux Américains d'origine roumaine dans cette ville, dit Papa. Selon Antonescu, ce fameux Vlad fait figure de héros chez eux. C'est pour cette raison qu'ils ont appelé le lycée ainsi, en hommage à leur peuple.

– Il est mieux connu sous le nom de Dracula, reprit Maman.

– Et alors? C'est l'établissement qui a les meilleurs résultats de tout l'État. De plus, les diplômés de Vlad vont ensuite dans les meilleures universités. Tous, sans exception. À chaque promo.

– Je n'ai aucune envie que Cody aille dans ce lycée, s'exclama ma mère.

– Alors, ce sera Notre-Dame-des-Devoirs-Éternels, répliqua mon père. Ça m'est égal.

– Et mon avis à moi, ça ne vous intéresse pas? m'indignai-je.

– Je ne vois pas en quoi il nous intéresserait, fit mon père. Si tu avais travaillé un minimum, on n'en serait pas là aujourd'hui. Mais puisque tu y tiens, donne-nous ton avis.

Je songeai un moment à tout ce que je voulais leur dire… «Ne me faites pas ça… Ramenez-moi à la maison…» Mais il fallait se rendre à l'évidence : je n'avais aucune chance. Ils n'en feraient qu'à leur tête…

– Et des cours particuliers? hasardai-je. Une prof, assez canon, et qui aurait environ vingt-cinq ans?

– Merci de l'avoir suggéré. Demain, nous irons visiter les deux établissements, conclut Papa.

2

Premier entretien

De l'extérieur, le lycée Vlad Drac avait presque un aspect normal, si ce n'est qu'il était plus beau que la plupart des autres lycées publics. Bon, à vrai dire, il était bien mieux que toutes les écoles que j'avais vues jusque-là. Mais n'oubliez pas que je ne parle que de l'extérieur. Rien d'autre.

Des bâtiments en briques d'un jaune vif, tous desservis par une route, se dressaient autour de l'immense campus. L'école primaire occupait deux bâtisses reliées par un grand réfectoire. On distinguait toutes sortes d'équipements et de jeux d'extérieur dans la cour de récréation couverte de neige.

Des édifices à deux étages, séparés de la cour par une route bordée d'arbres, étaient réservés au collège. Le lycée, un peu plus loin, était constitué de cinq bâtiments imposants. Les inscriptions sculptées dans les portes annonçaient : *Lettres classiques, Sciences et Théâtre.* Au fond du campus, un peu à l'écart, se trouvaient trois maisons.

– Es-tu sûr qu'il s'agit d'un lycée public ? demandai-je à Papa.

– Le meilleur de toute la région, répondit-il. Selon Antonescu. Je n'ai pas de mal à le croire, maintenant que j'ai vu tout ça.

Il gara la voiture sur le parking du lycée et nous nous dirigeâmes vers le premier bâtiment. Un panneau précisait : *Les bureaux sont situés tout de suite à gauche après l'entrée.*

En haut des marches, deux portes qui brillaient comme de l'or – et qui devaient peser une tonne chacune – s'ouvrirent sans un bruit, au simple contact de nos mains.

Ce que je vis alors était encore plus impressionnant que l'extérieur. Des dalles de marbre blanc au sol et au plafond, des piliers noirs ou rouges ici et là. Des chandeliers de cristal, de grandes peintures à l'huile représentant une flopée de mecs se battant à l'épée. Les portes des classes étaient taillées dans un bois précieux et parfumé.

Nous entrâmes dans la première salle sur notre gauche. Une femme aux cheveux gris se tenait derrière un bureau vaste comme une piste d'atterrissage pour hélicoptères. Un épais tapis étouffait tous les bruits de pas, et les murs étaient recouverts du même bois luxueux et odorant que celui des portes des classes. Il y avait même une cheminée.

– Je vous prie de m'excuser, commença Papa. Je m'appelle Jack…

– Entrez, je vous en prie, monsieur Elliot, fit la secrétaire en se levant pour nous accueillir.

« Elle doit bien mesurer deux mètres », pensai-je lorsque je la vis debout.

— Le directeur sera très heureux de vous rencontrer, vous et votre fils, poursuivit-elle avec son accent distingué. Maître Cody, je présume. Bienvenue chez nous. Je suis Mme Prentiss, la secrétaire de M. Horvath.

Elle me serra la main avec une force surprenante. Puis elle appuya sur un bouton pour annoncer notre arrivée à M. Horvath.

Une porte s'ouvrit derrière elle, en silence une fois de plus, et M. Horvath entra.

Il dépassait Mme Prentiss d'une tête. Il nous serra la main comme si nous étions des amis qu'il n'avait pas vus depuis des années.

— Monsieur Elliot et son fils. Venez, je vous en prie. Asseyez-vous, nous allons discuter, dit-il.

Puis il me prit par l'épaule et nous fit entrer.

Un bureau bien plus grand que celui de la secrétaire trônait au milieu de la pièce, meublée d'un divan et de quelques fauteuils disposés près d'une énorme cheminée. D'épaisses tentures masquaient la fenêtre.

Il y avait sur le sol une drôle de créature que je pris d'abord pour un chien. Elle leva une tête grosse comme une Volkswagen et ouvrit une gueule garnie de crocs acérés, puis émit un drôle de bruit. Quelque chose qui tenait à la fois du gloussement et du grognement.

Et qui me fit sursauter.

– Voici Charon, annonça M. Horvath. On dirait qu'il vous aime bien. Viens ici, Charon.

La créature se dressa sur ses pattes gigantesques et s'approcha de moi. Elle entreprit de me renifler partout, à la manière d'un chien policier à la recherche de drogues, puis elle me fixa de ses gros yeux jaunes.

– Scaro? demandai-je. Bon toutou, jolie fifille.

– Non, non, fit M. Horvath en souriant. C'est un mâle. Son nom est Charon. C-H-A-R-O-N, même si on dit «karon». Comme la divinité grecque qui emmenait les morts sur l'autre rive du Styx, le fleuve des Enfers.

– De quelle race est-il? murmurai-je. Berger allemand peut-être?

– C'est un loup, répondit M. Horvath.

Charon leva les yeux vers son maître, remua la queue et retourna se coucher.

– Il est issu d'une espèce particulière de loups canadiens, plus grands que la moyenne, expliqua M. Horvath. On en trouve en Colombie-Britannique, à… Où déjà? Ah, oui, dans la vallée Santette. Mais venons-en au fait.

Désignant la banquette, il nous fit signe de nous asseoir et ajouta:

– Nous sommes là pour discuter d'éducation et non des espèces ou sous-espèces de loups.

Nous prîmes place sur la banquette. Assis sur un fauteuil face à nous, M. Horvath forma comme une pyramide avec ses mains.

– Alors, vous souhaitez vous inscrire chez nous, maître Cody ? demanda-t-il.

– Euh… oui, bredouillai-je.

– Savez-vous nager ?

– Je me débrouille. J'ai obtenu un brevet de la Croix-Rouge avant d'arriver dans la région. Le certificat pour débutants.

– Excellent, la Croix-Rouge. C'est une organisation que nous soutenons beaucoup. L'appel du sang… annonça-t-il d'un ton à la fois respectueux et enthousiaste. Vous savez que notre établissement est d'un niveau très élevé, poursuivit-il. Et nous accordons autant d'importance aux activités parascolaires qu'aux autres matières. Chaque élève doit participer. Aimeriez-vous faire partie de l'équipe de water-polo ?

Comme je ne pratiquais aucun sport, je ne sus quoi dire.

Le water-polo, et quoi encore !

Mon père décida de répondre à ma place.

– Je suis sûr que Cody serait content d'essayer, fit-il.

– Permettez-moi d'interroger maître Cody, reprit M. Horvath.

– Hum… je n'en sais rien. Le sport et moi, ça fait deux. Je crois que je ne serais pas très bon.

– Aucune importance, rétorqua M. Horvath. C'est la volonté qui compte. À propos de victoire et de défaite, que disait donc Whitman ? « Perdre les batailles dans le même esprit qu'on les gagne… » Pour nous, ce qui importe, c'est de participer.

Tu parles ! Pour n'importe quel directeur, il n'y a que la victoire qui compte. C'est bien la première chose dont on se rend compte dès qu'on débarque dans un collège.

— Admettons que je rate ? lui demandai-je.

— C'est la volonté qui compte, répéta M. Horvath.

— Donc, si j'essaie, je suis pris à Vlad Drac ?

M. Horvath hocha la tête en signe d'acquiescement.

Je me mis à réfléchir à toute vitesse : « Si je tente le coup pour l'équipe de water-polo, primo mon père me fiche la paix, deuzio j'échappe à Notre-Dame-des-Devoirs-Éternels. Après, je rate les essais (rien de plus facile puisque je ne sais même pas jouer) et pour finir je m'inscris à un sport plus tranquille, bien pépère. Papa est content, Horvath est content, et moi, je m'en tire pas trop mal. »

— Bon, d'accord, annonçai-je donc.

— Excellent ! s'exclama M. Horvath. J'ai le plaisir de vous informer que vous êtes accepté dans notre établissement.

Papa fronça les sourcils.

— Vous aimeriez sans doute voir ses résultats, fit-il en lui tendant mes deux derniers relevés.

— Inutile, répondit M. Horvath.

— Je crains qu'ils ne soient pas très bons, reprit Papa, qui s'obstinait à agiter mes malheureux bulletins.

— Ce qui compte, ce n'est pas ce qu'on fait lorsqu'on commence mais lorsqu'on termine, insista M. Horvath.

De nombreux élèves arrivent ici avec de faibles moyennes mais, quand ils partent, ils ont tous de bons résultats.

Puis il se pencha vers moi et me serra de nouveau la main.

– Bienvenue à Vlad Drac, maître Cody, fit-il. L'entraînement a lieu à 14 h 30. Allez au natatorium aujourd'hui pendant le temps libre pour qu'on vous donne votre matériel.

– Au quoi ? balbutiai-je.

– Ah ! Je vous prie de m'excuser. C'est la piscine. Nous avons l'habitude de l'appeler le natatorium. Cela fait partie de nos traditions. Nous sommes très traditionnels sur certains points et très modernes sur d'autres.

– Monsieur Horvath, insista mon père (qui ne voulait pas en démordre), quand Hamilton Antonescu m'a parlé de votre établissement, il m'a laissé entendre que les critères d'admission étaient très stricts.

– Et il a bien raison, affirma M. Horvath. Nous sommes très exigeants.

– Mais vous n'avez même pas regardé les bulletins de mon fils !

– Les bulletins scolaires de son établissement précédent ne sont nullement représentatifs de son potentiel, sourit M. Horvath. D'ailleurs, ses résultats étaient bien meilleurs en Californie.

– Vous avez ses résultats de l'année dernière ? s'étonna Papa. Comment les avez-vous obtenus ?

– Il m'a suffi de les demander.

– Mais nous venons d'arriver il y a à peine cinq minutes, remarqua Papa. Personne n'est au courant de notre démarche d'inscription. Nous nous sommes décidés hier soir.

– Vous avez interrogé M. Antonescu à notre sujet. Il nous a mis au courant. Nous avons donc demandé les résultats de votre fils dans l'espoir que vous seriez intéressé par notre établissement.

– En une nuit ?

– Rien de plus facile à l'ère des nouvelles technologies de l'information, commenta M. Horvath.

– Mais… objecta Papa.

– Monsieur Elliot, vous nous avez été recommandé par votre collègue, M. Antonescu, qui a un enfant chez nous et qui est lui-même ancien diplômé de notre établissement. Cette recommandation, les bulletins de votre fils – je dis bien tous ses bulletins – et son désir d'entrer dans l'équipe de water-polo nous suffisent amplement pour qu'il soit admis chez nous. Toutes mes félicitations.

Sur ce, M. Horvath se leva et nous fîmes de même. Il serra encore une fois la main de Papa puis il ouvrit la porte de son bureau et s'adressa à Mme Prentiss :

– Avons-nous l'emploi du temps de maître Cody ?

– Oui, il est ici, répondit Mme Prentiss.

Une petite carte blanche à caractères dorés était posée sur son bureau. Tout était imprimé, y compris mon nom.

ELLIOT Cody
Appel : 7 h 45-8 h Kovacs
Mathématiques : 8 h 05-9 h Mach
Anglais : 9 h 05-10 h Shadwell
Histoire-géo : 10 h 05-11 h Gibbon
Sport : 11 h 05-12 h Lucaks
Déjeuner : 12 h 05-13 h
Sciences : 13 h 05-14 h Vukovitch
Temps libre : 14 h 05-14 h 30
Water-polo : 14 h 35-15 h 30 Krofresh

– Le temps libre, c'est quoi exactement ? demandai-je.

– C'est le moment de la journée où les professeurs sont à votre disposition si vous souhaitez des explications supplémentaires, répondit Mme Prentiss. Mais vous pouvez également aller en bibliothèque, ou même voir vos amis au foyer des élèves.

– Le foyer des élèves ?

– C'est le grand bâtiment qui se trouve entre les dortoirs, précisa M. Horvath.

– Étonnant, pour un établissement public, d'être équipé de dortoirs, remarqua Papa.

– Un établissement mondialement réputé tel que le nôtre reçoit des élèves de partout. Certains ne rentrent chez eux qu'aux vacances scolaires.

– Et vous bénéficiez du soutien des contribuables ? s'enquit Papa.

– J'ai le plaisir de confirmer que les citoyens de cette communauté nous ont toujours accordé ce que nous demandions, depuis des générations, affirma M. Horvath. À 99 %.

Papa me lança un regard et je sus immédiatement qu'il se demandait, lui aussi, dans quel genre d'école nous étions tombés…

– Bien. Monsieur Elliot, si cela vous convient, je vous demanderai de signer l'emploi du temps de votre fils, dit M. Horvath.

Papa sortit son stylo, mais ne signa pas.

– Nous n'avons pas encore vu Notre-Dame-des-Devoirs-Éternels, déclara-t-il.

– Allez, signe, soufflai-je.

À choisir, je préférais mille fois le water-polo aux devoirs à perpète. De toute façon, je n'allais pas faire long feu dans l'équipe.

Papa se décida enfin à signer.

– Appelle-moi, grommela-t-il en partant.

À sa voix, je compris qu'il voulait dire : « Appelle-moi s'il se passe quelque chose d'un peu trop bizarre » et, pour la première fois depuis des mois, je sentis renaître mon affection pour lui.

3

Du water-polo sans se mouiller

Une fois mon père parti, M. Horvath se tourna vers moi.

– Maître Cody, je tiens à vous dire que je suis très heureux que vous vous soyez inscrit chez nous. N'hésitez pas à venir me voir si vous avez des questions concernant notre établissement. Certaines de nos pratiques risquent de vous étonner au début, mais je veux que vous soyez à l'aise parmi nous.

– Merci, dis-je.

Puis il appela Charon, et le loup géant entra discrètement dans le bureau.

– Pour votre premier jour, Charon vous conduira à vos cours, annonça-t-il. Ne vous inquiétez pas, il connaît le chemin bien mieux que moi.

Il s'adressa ensuite à Charon dans une langue que je ne connaissais pas. Le loup se dirigea vers la porte et tourna la tête vers moi.

Je le suivis dans le couloir en m'efforçant de maintenir le plus de distance possible entre lui et moi. Ce qui n'était pas très facile, puisqu'il s'arrêtait pour m'attendre dès que je restais un peu trop en arrière.

En quelques minutes, j'arrivai à la porte de ma classe de maths. Je poussai la poignée – les portes avaient des poignées dorées, et non des boutons – et j'entrai dans la salle, avec Charon sur les talons.

Au premier abord, la salle de classe de M. Mach semblait ordinaire, et pourtant elle différait totalement de celles que je connaissais. Il y avait bien des tableaux, des fenêtres, des tables et des sièges comme n'importe où ailleurs. Mais les tableaux étaient en ardoise véritable, d'une teinte si foncée que les inscriptions à la craie paraissaient scintiller. Confortablement assis sur des fauteuils, les élèves travaillaient sur de vrais bureaux avec des tiroirs. Ils disposaient chacun d'une lampe. Sans doute parce que les vitres des fenêtres étaient très sombres.

Tous les regards se braquèrent sur moi. Il n'y avait pas plus de douze élèves dans la classe. Grands et bruns, rien ne semblait les distinguer. Mêmes visages au teint pâle. Mêmes yeux marron… Je ne vis presque personne de taille moyenne comme moi, mais un garçon châtain à lunettes attira mon attention car il semblait très petit. Il s'appelait Justin Warrener, comme l'attestait la plaque vissée sur son bureau. Chaque élève avait une plaque gravée à son nom.

– Entrez, Elliot, fit M. Mach. Votre bureau se trouve près de la fenêtre. Allez d'abord mettre vos affaires au vestiaire avant de vous installer. Nous étions en train de discuter des propriétés remarquables du mode éolien.

Le fait qu'il connaisse déjà mon nom ne m'étonna même pas.

Solidement bâti, M. Mach était un grand brun aux cheveux touffus, assortis à une barbe hirsute. Il avait de grands yeux sympathiques, et tenait un violon à la main.

Alors que j'enlevais ma casquette et mon manteau au vestiaire – une véritable salle, avec des sièges et un portemanteau pour chacun (inutile de préciser qu'il y avait déjà mon nom sur l'un des placards) –, je l'entendis faire glisser l'archet sur les cordes. Une note longue et pure résonna dans le couloir.

– Vous venez d'entendre un *si*, évidemment, dit M. Mach, mais réfléchissez bien à une chose : si je pose mon doigt ici tout en effectuant le même mouvement avec l'archet, j'obtiens un *la*. Que s'est-il passé ? Nous avons toujours le même instrument, la même personne qui en joue. Qu'est-ce qui a changé ?

– Le rythme de la vibration, suggéra une fille.

– Exactement, approuva M. Mach. Le rythme de la vibration, c'est-à-dire le rythme des tremblements dans la corde elle-même. Nous pouvons dénombrer ces rythmes, les diviser en quarts et en moitiés. Il est possible de les diviser indéfiniment. Ensuite, nous établissons le profil mathématique de n'importe quelle note de musique.

Je rejoignis ma place aussi discrètement que possible et Charon s'assit à mes côtés. La tête à la même hauteur que la mienne, il dressait les oreilles comme s'il écoutait réellement le professeur.

– Permettez-moi d'exposer de nouveau mon idée principale à l'intention d'Elliot, reprit M. Mach. Je suis en train d'expliquer pourquoi nos ancêtres considéraient à juste titre la musique comme partie intégrante des mathématiques. Entendre de la musique, c'est entendre des maths.

– Reçu 5 sur 5, affirmai-je.

Ce qui me valut quelques gloussements parmi les élèves et la désapprobation de Charon.

Je mis à profit les explications de M. Mach pour explorer le contenu de mon bureau. En ouvrant le tiroir du haut, je découvris un livre de maths, un cahier, des stylos, des crayons, un rapporteur, une règle et une calculette – tout était préparé pour moi. Il y avait même des piles de rechange pour la calculette. Si j'avais voulu me mettre au travail, c'était l'endroit ou jamais.

Loin de moi cette idée… Mais avec Charon à mes côtés, mieux valait faire semblant de m'appliquer. Je sortis donc le cahier et j'écrivis : *Entendre de la musique, c'est entendre des maths.* Puis je tâchai de prendre un air intéressé.

M. Mach avait terminé.

– Pour vendredi, vous me choisirez une composition de Mozart. Vous attribuerez des valeurs numériques aux différentes parties de la composition, et vous démontrerez, à l'aide de fractions et non de nombres décimaux, comment elles sont mathématiquement reliées entre elles.

Vendredi! On était déjà mercredi. Les élèves avaient deux jours pour rendre un devoir de ce genre! Tout ce que je connaissais de Mozart, c'était le film que j'avais vu en compagnie de mes parents. Il avait composé de la musique et il était mort. Je n'en savais pas plus…

Un son mélodieux, un peu comme un gong, résonna dans le couloir et mit fin à mes réflexions. Les élèves se levèrent et sortirent tranquillement en file indienne.

J'attendis que tout le monde soit parti pour m'adresser à M. Mach.

– Permettez-moi de vous dire que je suis parfaitement incapable d'effectuer ce genre de travail, fis-je. Dans mon ancien lycée, nous faisions de l'algèbre.

Il me regarda en souriant.

– Cela ne vous empêche pas de vous y mettre. Il vous suffira d'essayer pour apprendre quelque chose. Ne vous inquiétez pas, dit-il en me tapotant l'épaule. Enchanté de vous avoir dans ma classe.

Je quittai la salle en me rappelant que, de toute façon, ce que je visais, c'était l'échec. Fallait pas l'oublier! Du moment que j'y parvenais sans me faire expédier aux Devoirs-Éternels… Cet objectif me semblait tout à fait réalisable.

Tous les élèves étaient dans le couloir, qui me sembla étrangement calme. Presque personne ne parlait. Juste quelques murmures çà et là. Ni bousculade ni précipitation. Chacun avançait en silence. Même les portes ne faisaient aucun bruit…

Charon me conduisit dans une autre salle, réservée au cours d'anglais de M. Shadwell, comme l'indiquait mon emploi du temps.

Un type baraqué au crâne chauve se précipita aussitôt vers moi et me saisit par la main.

– Elliot! Très heureux de vous rencontrer, mon garçon. Asseyez-vous là, près d'Antonescu. Regardez bien si vous avez tout ce qu'il vous faut dans votre bureau. Au fait, vous êtes un parent de T. S. Eliot? Non, sans doute que non, puisque je vois que votre nom s'écrit différemment. Peu importe. C'était un grand poète! Quel désespoir, mais quelle beauté également!... « J'aurais dû être une paire de griffes écornées / Courant à toute vitesse sur les planchers des mers silencieuses.» Génial. Et la poésie d'Ezra Pound. Ah! Superbe... Vous connaissez *Les Cantos*?

Entraîné par son enthousiasme, il faillit me faire tomber sur ma chaise.

– Quelques mots sur ce que j'attends de vous cette année. Nous allons tous écrire quelque chose. Une pièce de théâtre, un roman, un recueil de poésie, peut-être une épopée. Pour ma part, j'aime beaucoup les épopées. J'en ai écrit dix-sept jusqu'à présent, toutes dédiées à ma femme. Elle adore ça et elle ne manque jamais de me cuisiner des lasagnes dès que j'en termine une. À propos, il faudra que je vous invite à la maison un de ces jours. Mais revenons-en au fait. L'important, pour vous, c'est de choisir le genre qui vous plaît et de me rendre un travail abouti, d'une longueur convenable. Disons, quatre cents pages en moyenne pour une épopée, un roman ou une pièce de théâtre corrects… Mais puisque vous arrivez en cours d'année, je vous permets de retravailler simplement un de vos anciens textes. Qu'est-ce que vous écrivez, au juste?

– Rien, marmonnai-je. Je n'ai aucune imagination.

– Bah, il n'y a pas que la fiction, mugit M. Shadwell. Alors c'est de l'histoire, des biographies, ce genre de choses. Pourquoi pas? Du moment que vous n'essayez pas de me refiler un traité scientifique. Les sciences, ce n'est pas mon fort, mais, si vous me proposez un truc sur les plaques tectoniques, la radioastronomie ou la paléontologie triasique, je devrais pouvoir me débrouiller.

– Rien du tout, je n'écris rien du tout, insistai-je.

– Ah! Le water-polo, c'est ça?

Je hochai la tête et lui montrai mon emploi du temps.

– Qu'importe! Ne tenez pas compte de ce que je viens de dire, soupira M. Shadwell en me rendant mon emploi du temps.

Le gong retentit de nouveau.

– C'est l'heure d'entrer en classe, fit M. Shadwell. Ça m'a fait plaisir de discuter avec vous, Elliot.

Il se détourna en marmonnant:

– Du water-polo? Pourquoi ne m'ont-ils pas prévenu?

Puis il fila vers l'estrade, sur laquelle reposait une énorme pile de papier relié. Aussi épaisse que trois annuaires de téléphone.

– Il existe certaines règles de prosodie que vous devez absolument connaître si vous écrivez de la poésie, annonça M. Shadwell. Elles sont d'ailleurs précieuses pour tous les auteurs en général. Vous en trouverez de bons exemples dans mon dernier ouvrage, *Quetzal*, qui, comme vous le savez, retrace toute l'histoire du Mexique, des pyramides de Teotihuacán à la révolution de 1910. Je vais donc vous lire une partie de cet ouvrage afin d'illustrer mon propos.

Il ouvrit son gros pavé et entreprit de lire un passage. Je ne compris pas grand-chose… Une histoire de bataille éveilla légèrement mon intérêt, mais j'aurais été bien incapable de dire qui faisait quoi à qui. Je renonçai à écouter. Ce qui se révéla difficile tellement il braillait.

Charon lui-même ne montra pas autant d'intérêt que pour le cours de M. Mach. Il tourna carrément le dos à M. Shadwell et se pelotonna, le museau bien enfoui dans la queue. Il dormait, j'en étais sûr.

Pour tromper mon ennui, je décidai d'explorer mon bureau. Il ressemblait beaucoup à celui qui m'avait été attribué dans la salle de M. Mach. Il contenait un énorme bouquin : *Trésors de littérature anglaise*, une anthologie de Norman Percival Shadwell, un cahier et des stylos. La seule différence, c'étaient les tiroirs. Les cinq étaient remplis de papier.

Que de paperasse ! Je me demandais bien ce que les élèves pouvaient pondre… Moi dont les écrits se bornaient à quelques malheureuses cartes d'anniversaire rédigées sous la contrainte.

Je promenai mon regard autour de moi. Les autres semblaient attentifs. Comme ils étaient sérieux! Le petit à lunettes, que j'avais déjà remarqué en cours de maths, grattait frénétiquement page après page.

M. Shadwell m'avait attribué le bureau à côté de celui d'Ileana Antonescu. Une belle fille au teint clair et aux longs cheveux bruns, comme la plupart des élèves de Vlad Drac. Petite et fine, elle avait des yeux ambrés qui rappelaient ceux de Charon. Le moindre de ses mouvements (même s'il consistait uniquement à plier les doigts sur son stylo) me faisait penser au vol d'un oiseau.

Était-elle la fille de Hamilton Antonescu? J'imaginais déjà tous les avantages… Nos pères travaillaient ensemble, et le sien m'avait déjà aidé à entrer dans ce lycée; avec un peu de chance, elle deviendrait peut-être ma petite amie. Ça tombait bien, puisque je n'en avais pas…

Je lui griffonnai un petit mot.

Salut. Je m'appelle Cody Elliot. Tu es la fille de Hamilton Antonescu, non? Mon père travaille avec le tien.

Au moment où M. Shadwell baissa la tête pour amplifier son beuglement, je glissai mon message à ma voisine. Elle ne s'en rendit même pas compte. Le menton appuyé sur ses mains, elle n'avait d'yeux que pour le prof. Lorsqu'il interrompait sa lecture pour beugler des informations prétendument cruciales en matière de prosodie, ou même pour vanter ses travaux, Ileana prenait quelques notes, puis elle levait de nouveau ses beaux yeux d'ambre vers lui.

À la fin du cours, juste au moment où elle se levait pour partir, Ileana remarqua enfin le mot. Elle le lut, me coula un drôle de regard et s'éloigna en fourrant le bout de papier dans son sac.

À ce moment-là, je remarquai qu'aucun élève ne m'avait adressé la parole. Pas un seul mot non plus en salle d'histoire-géo, où M. Gibbon (qui avait tout du singe, même le nom) nous décrivit le commerce du sel aux premiers temps de l'Europe carolingienne. Un exposé de cinquante-cinq minutes, pas une de moins, après lequel il nous demanda en guise de devoir d'apporter des aliments salés en classe. Pas un seul mot en sport, qui ressemblait pourtant à un cours normal, avec des exercices de saut, de la course à pied, et un entraîneur qui n'arrêtait pas de brailler.

L'heure du déjeuner arriva. Accompagné de Charon, je suivis les élèves, qui se dirigèrent vers le foyer.

J'entrai alors dans un… palais. Cela ne m'était jamais arrivé, mais je reconnus sans hésitation le genre d'endroit fréquenté par Cendrillon, Blanche-Neige et la Belle au bois dormant.

Des murs couverts de tapisseries et de panneaux de bois sculptés, des plafonds ornés de fresques qui semblaient tout droit sorties des épopées de M. Shadwell, d'énormes meubles à dorure, des armures et des statues un peu partout.

Et ce n'était que l'entrée.

Tout le monde se dirigea vers la gauche et entra dans un réfectoire, ou plutôt une salle de banquet. Sur des tables pour quatre, recouvertes de nappes rouges, on avait disposé des assiettes noires, des tasses, des couverts en argent, et un carton au nom de chaque élève.

Charon me conduisit à ma place et fila vers la cuisine. L'un des serveurs appela le chef, qui vint aussitôt à la rencontre du loup. Il se pencha vers le quadrupède qui le salua d'un grand coup de langue. Le chef se fendit d'un sourire, et Charon se retrouva soudain devant un tas de viande de la taille d'un bouvillon, posé sur un plat d'argent.

Dès que nous fûmes assis, les serveurs roulèrent des chariots remplis de victuailles. Tous vêtus de vestes blanches, ils glissaient entre les tables, posaient les plats devant nous et nous faisaient une petite révérence après avoir enlevé les cloches recouvrant les mets.

– Bon appétit, chuchota le serveur qui s'occupait de ma table.

Il nous avait servi des plats que je n'avais jamais mangés, et dont j'ignorais même l'existence : de fines tranches de viande, des morceaux de fromage, et des légumes qui semblaient avoir été importés de la planète Mars. Je dus reconnaître, cependant, que tout était délicieux. Peut-être avaient-ils une sauce secrète.

À mes côtés, se tenaient Ileana, Justin Warrener et un gars du nom de Brian Blatt. Un boutonneux aux cheveux très courts.

– C'est toi le nouveau ? me demanda-t-il.

Enfin quelqu'un qui m'adressait la parole.

– Ouais.

– Tu es dans l'équipe de water-polo ?

– Apparemment. J'ai dit à Horvath que j'allais essayer.

– La vache ! lâcha Brian Blatt avant de se jeter sur son assiette pour aspirer les restes par les narines. (Bon, d'accord, j'exagère un peu, mais il n'en avait pas dit plus.)

Il nettoya son assiette d'un coup de langue et faucha tous les petits pains de la corbeille (bon d'accord, il ne lécha pas son assiette, il empocha simplement le pain), puis il se leva et s'en alla vers la sortie, en traînant les pieds.

D'autres élèves, assis à une table à côté, s'étaient levés au même moment.

– Hé, les mecs, attendez-moi ! glapit Brian.

– Quoi de neuf, mec ? braillèrent-ils.

Une conversation normale ! Ce n'était pas trop tôt ! Mais ils sortirent, et la salle retrouva son calme, à peine troublé par le cliquetis des couverts, plus bruyants que le bourdonnement léger des conversations.

Ileana posa sa fourchette sur la table.

– Je te prie de m'excuser, commença-t-elle avec un accent à peine perceptible. Pourrais-tu m'expliquer pourquoi tu as fait ça ?

– Ce n'était qu'un… petit mot, balbutiai-je.

– Je vois. Et ce genre de pratique est courant parmi les élèves des autres lycées ?

– Tout le monde le fait.

– Je comprends. Je te remercie, dit-elle, et elle commença à manger son dessert. (Quelque chose qui rappelait la glace, mais en bien meilleur.)

– Alors, tu es bien la fille de Hamilton Antonescu? demandai-je.

– Oui, confirma-t-elle.

– Je m'appelle Cody Elliot. Ton père travaille avec le mien.

– Tu m'en as déjà informé, me fit-elle remarquer.

Et ce fut tout.

Quelques minutes plus tard, Justin prit la parole.

– J'ai entendu dire que les autres lycées sont très bruyants. Tout le monde parle en même temps. C'est vrai?

– Exact.

– Alors, pourquoi vous vous passez des petits mots? demanda-t-il.

– Pour que les autres ne soient pas au courant. Les petits mots, c'est personnel.

Justin secoua la tête en signe d'incompréhension.

– Ça ne me semble pas très logique. Ce sont les professeurs qui vous font passer les messages?

– Non, répondis-je. Nous ne sommes pas censés le faire.

– Alors, je n'y comprends plus rien, reprit Justin.

– Personne ne fait donc passer de petits mots, ici?

– Dans quel but ? demanda Justin.

– Juste pour dire quelque chose que les autres ne doivent pas savoir, répétai-je.

– Quoi, par exemple ? s'enquit Justin.

– Tout et rien.

Je n'allais quand même pas lui dire qu'on passait des petits mots aux filles pour en recevoir en retour. S'il n'était pas fichu de piger ça, ce n'était pas à moi de le lui expliquer.

Après le déjeuner, nous nous levâmes tous pour retourner en classe. Ileana et Justin se mêlèrent aux autres, et Charon réapparut. Personne ne semblait s'apercevoir de notre présence.

Tout d'abord, je me demandai même si les élèves prêtaient attention les uns aux autres. Puis, comme je les observais, je me rendis compte que oui. Ils se parlaient par petits groupes, certains marchaient même main dans la main. Pourtant, ils étaient tellement discrets, tellement centrés sur eux, qu'ils paraissaient couler autour de moi comme de l'eau.

À part quelques individus aux cheveux châtains, comme Justin, ils étaient tous grands, pâles et bruns. Ils portaient presque tous des lunettes de soleil, qu'ils s'empressaient de mettre dès qu'ils sortaient.

– Tu crois que je vais me plaire ici ? demandai-je au loup.

Charon s'arrêta, me coula le même genre de regard qu'il m'avait octroyé dans le bureau du directeur, puis sa queue décrivit lentement un petit cercle.

Comment devais-je interpréter ce geste ? Comme un oui ? un non ? Ou autre chose ?

Je décidai de l'interroger à nouveau pour voir ce qui se passerait.

– Hé, Charon, lui demandai-je, est-ce que ce bahut est aussi dur qu'il en a l'air ?

Il s'arrêta une fois de plus et tourna la tête. Il remuait bien haut la queue.

Ce qui signifiait peut-être oui, peut-être non… ou peut-être rien du tout.

– Il fait chaud aujourd'hui ? lui demandai-je, pour le tester.

Il balaya la neige de sa queue, qu'il balançait d'avant en arrière au ras du sol, et me regarda d'un air dégoûté.

Si cela voulait dire quelque chose, ça ne pouvait être que non.

– Charon, est-ce que tu m'aimes bien ?

Sa queue demeura immobile puis il s'ébroua un peu, secoua la tête et recommença à marcher.

Je le suivis.

Peut-être communiquait-il avec moi, et dans ce cas, son vocabulaire se résumait à *oui, non, peut-être*, et *ça ne te regarde pas*. Était-il intelligent ? Oui, certainement, mais à ce point-là ?

Le cours de sciences était assuré par Mme Vukovitch. Une gigantesque blonde aux yeux bleus qui avait l'allure d'une actrice des vieux films dont se délectaient mes parents. Elle fit son entrée à la manière des top models défilant sur un podium et posa un instant son regard sur moi. Puis elle nous accorda un sourire électrisant et s'embarqua dans un long baratin sur les astres, distillant toutes sortes de blablas sur les étoiles, qu'elle semblait tutoyer depuis toujours.

– Bételgeuse, vous voyez laquelle c'est, non ? Eh bien, cette étoile-là se trouve à quatre cents, six cents années-lumière de nous. Personne ne connaît la distance exacte. Vous pensez sans doute que c'est bien assez loin. Mais c'est une géante toute rouge et, un de ces jours, elle va se transformer en supernova. Elle ne peut pas s'en empê-cher. C'est ça qui leur plaît, aux étoiles. Exploser, dégrin-goler, et on n'en parle plus. Dites-vous bien que, le jour où ça se produira, on pourrait finir grillés comme des saucisses. Bref, pour demain, je veux que vous calculiez combien de temps ça va lui prendre, dans combien de temps on commencera à ressentir les effets sur Terre, et quelle sera leur ampleur. N'oubliez pas de tenir compte des ceintures de radiations de Van Allen, dans vos calculs. À demain.

Je feuilletai le livre de sciences que je venais de recevoir. Les chapitres sur l'astronomie, c'était pire que du chinois pour moi.

Je hochai la tête.

– Eh ben mon vieux, soupirai-je à l'intention de Cha-ron, même si je le voulais, je ne pourrais pas réussir dans cette matière.

Je me rendis au foyer entre deux cours et je m'appuyai le dos au mur, auprès de Charon, pour observer la salle, remplie de gens qui m'ignoraient totalement. Puis mon compagnon à quatre pattes me conduisit à l'immense gymnase, dont une aile était réservée au natatorium.

On y accédait par une entrée séparée et je me rendis compte que le natatorium n'était nullement relié au reste du bâtiment, contrairement à ce qu'on pouvait imaginer en le voyant de l'extérieur.

Il y avait une piscine olympique et des gradins qui s'étiraient du haut des vestiaires jusqu'au plafond. Six gars en maillot de bain noir à barres obliques rouges sur le devant attendaient debout près des plongeoirs. Je reconnus Brian Blatt, et ceux avec lesquels il était parti après le repas. Ils m'observèrent sans rien dire.

Charon me conduisit aux vestiaires. Un genre de bureau y avait été aménagé, avec une table branlante et un fauteuil tournant dans lequel était affaissé un énorme tas de graisse. Qui était sûrement l'entraîneur Krofresh. Il roupillait profondément, auprès d'une caisse de bières vides.

Charon grogna. L'entraîneur ouvrit un œil.

– Qu'est-ce que vous voulez ? marmonna-t-il.

Charon se remit à grogner.

– Ah, ouais, on m'avait dit que t'allais venir, espèce de nul. Bon, je m'en charge, loup.

Il remua les jambes, testa le sol avant d'y poser les pieds et parvint à se mettre debout.

– Viens là, espèce de nul, dit-il, je vais te filer ton équipement.

Je le suivis dans les vestiaires. Il y avait des centaines de casiers, dont la plupart semblaient n'avoir jamais été utilisés. Quelques-uns, au fond, étaient fermés par des cadenas. Tous les autres étaient grands ouverts.

Krofresh les balaya du regard comme s'il essayait de se rappeler ce que nous faisions là. Puis il en désigna un.

– T'as le 696, t'as pas intérêt à l'oublier.

– 696, répétai-je.

– Qu'est-ce que tu attends pour l'ouvrir ? dit Krofresh. T'imagines que je vais le faire à ta place ?

À l'intérieur, je trouvai un immense sac noir, avec une rayure rouge, et tout ce dont j'avais besoin. Maillot, savon, serviettes…

– Change-toi et décampe de là, croassa Krofresh.

Là-dessus, il reprit le chemin de son bureau.

– Vous ne me demandez pas de faire un essai ? m'écriai-je.

– Fous-moi la paix, répondit-il sans même se retourner. J'ai à faire au bureau.

Je mis mon maillot et retournai à la piscine. Les autres n'avaient pas quitté les abords du plongeoir. Charon n'était plus là.

Nous nous regardâmes en chiens de faïence pendant quelques minutes, puis je fis quelques pas vers eux.

– Salut, lançai-je.

Pas de réponse.

– Quoi de neuf? tentai-je.

Toujours pas de réponse.

– Je m'appelle Cody Elliot, continuai-je.

– Et alors? lâcha la voix de Brian Blatt.

Puis de nouveau le silence.

Enfin, un maigrichon à cheveux roux, qui faisait penser à une belette, s'adressa à moi.

– Qu'est-ce qu'il a dit, Krofresh?

– À propos de quoi?

– Quand il t'a donné ton casier, jappa la semi-belette.

– Il m'a dit: «Fous-moi la paix, j'ai à faire au bureau.»

Les gars commencèrent aussitôt à se taper dans les mains en signe de victoire et à hurler de joie.

– Pas de cours aujourd'hui!

– Ça baigne!

– Secs comme un coup de trique!

– Hourra!

Ils se dirigèrent vers les vestiaires en se donnant de grandes tapes sur le dos, et je les suivis.

Ils se rhabillèrent en criant leur joie d'avoir échappé à la séance de natation.

– C'est tout? demandai-je à Brian.

– Quoi?

– Je parlais de l'entraînement, précisai-je.

– Écoute un peu, débile, fit-il en posant sa paluche sur mon épaule. Si tu veux plonger dans la flotte, tu plonges. Si tu veux rentrer chez toi, tu te casses. Si tu veux te tirer en enfer, tu te tires en enfer. Tout le monde s'en fiche. Moi, les autres, et Krofresh encore plus… Tu captes ?

Non, je ne captais pas. Mais j'avais bien compris qu'il avait terminé son explication.

Je regagnai la piscine. Immense et verte, elle était tout à moi si je voulais.

Impossible de résister.

Je plongeai et fis deux longueurs, savourant la chaleur de l'eau et le plaisir de flotter. Le plaisir de maîtriser enfin quelque chose. Moi-même… mon corps. C'était comme en Californie. Je me sentais tellement bien que j'avais envie de crier.

Je résolus de nager longueur après longueur, pour faire sortir ma peur et toutes les larmes que j'avais réprimées ce jour-là. Peut-être que ce lycée ne serait pas si mal que ça, en fin de compte. Si les journées pouvaient toutes se terminer ainsi…

Je quittai le gymnase presque heureux.

4

La marque du vampire

La journée de cours était finie, maintenant. Charon avait filé, laissant quelques empreintes dans la neige fondue, à l'écart du gymnase.

Les élèves s'étaient dispersés près du foyer et dans les allées où les attendaient des voitures en stationnement.

Certains faisaient la queue devant une file de limousines noires, portant l'inscription *Lycée Vlad Drac* sur les côtés.

D'autres grimpaient, seuls ou à deux, dans de belles voitures. Une flopée de modèles que je n'avais encore jamais vus, conduits par des chauffeurs.

Eh bien, si Papa voyait tout ça, il n'aurait plus envie de sa Mercedes !

Un cri perçant m'arracha à ma rêverie.

Quelqu'un hurlait derrière moi. Un garçon. Je ne savais pas qui, mais il semblait terrifié.

Je me retournai. Les élèves, serrés les uns contre les autres en un groupe compact qui formait une sombre muraille, regardaient tous dans la même direction. Je m'approchai d'eux.

Le hurlement se fit de nouveau entendre.

En arrivant près du groupe, je reconnus Justin Warrener. Sans lunettes, le visage écarlate. Il se démenait comme un diable pour échapper aux quatre types qui le tenaient à un mètre du sol. Les uns par les bras, les autres par les jambes. Tous les quatre immenses, pâles et bruns. Ils lui avaient certainement arraché son manteau dans la bagarre.

Qu'allaient-ils faire de lui?

Un petit ruisseau coulait un peu plus bas derrière le foyer des élèves. À peine un mince filet d'eau. Sûrement pas plus de trente centimètres de fond à cette époque de l'année. Les types avaient dû casser la glace. Ils s'apprêtaient à y balancer Justin.

Ça n'avait pas l'air très dangereux, mais Justin criait comme s'il était sur le *Titanic* et qu'il venait de rater le dernier canot de sauvetage.

Et tout le monde regardait. Ou plutôt se contentait de regarder, sans bouger. Tel un mur, avec plein de lunettes de soleil.

Vous est-il déjà arrivé de faire quelque chose sans y penser? Je précise: quelque chose que vous n'aviez jamais fait, et que vous ne referiez sans doute jamais? Un geste qui bouleverse complètement votre vie…

C'est ce qui s'est produit ce jour-là. Sans réfléchir, je me suis penché, j'ai fait rapidement une boule de neige et je l'ai lancée sur le plus grand de la bande.

– Hé! l'apostrophai-je. Lâche-le.

Le costaud se retourna.

– Qui a fait ça ? demanda-t-il, sans montrer le moindre signe de colère.

– Je te laisse deviner, criai-je, en lui jetant une autre boule à la figure.

Il lâcha la jambe de Justin et s'approcha de moi.

– Sais-tu qui je suis ? fit-il.

– Ouais, un abruti qui a besoin d'un coup de main pour taper sur Justin Warrener.

Dans la foule massée derrière moi, quelqu'un s'esclaffa doucement.

Le type me dépassait de beaucoup, en hauteur et en largeur. Un vrai paquet de muscles, qui avait déjà de la barbe.

Je commençais à avoir la trouille.

– Posez-le, ordonna-t-il à ses sbires.

Les trois autres laissèrent tomber Justin dans la neige. Il détala sans demander son reste.

Puis le costaud, qui avait tout l'air de se demander à quelle sauce il allait me bouffer, m'attrapa d'une main et me souleva.

– Tu ignores qui je suis, *cageot*. Aussi, je ferai peut-être preuve de clémence à ton égard. Tu as devant toi Grégor Dimitru, dit-il.

Puis il dressa la tête, me tint à bout de bras, le temps de réfléchir à ce qu'il allait faire, et annonça qu'il se décidait finalement à sévir.

Je fus littéralement jeté au type d'à côté, qui me saisit d'une main et me catapulta à la hauteur de son visage.

– Vladimir Bratianu ! cria-t-il, puis il me lança au troisième type.

– Constantin Trifa ! cria le troisième, qui me balança au quatrième.

– Ilie Nitzu ! gloussa celui-ci, et il me propulsa vers Grégor, lequel me porta alors au-dessus de sa tête et me demanda : Et toi, comment tu t'appelles, cageot ?

– Pose-moi par terre, parvins-je à dire.

Le truc carrément infernal. Pire que n'importe quel cauchemar. Ces mecs me balançaient de l'un à l'autre comme si je n'étais rien du tout. Et je sentais bien que pour eux je n'étais rien du tout.

– Pozmoiparterre ? s'écria Grégor. Je crois que je n'ai encore jamais rencontré quelqu'un qui portait ce nom. D'où tu viens, Pozmoiparterre ?

– Il voudrait que tu le poses à terre, je pense, fit Vladimir.

– Ah ! Tu crois, Vladimir ? lui demanda Grégor, en faisant semblant de réfléchir. T'en penses quoi, Pozmoiparterre ? Il a raison ?

Il se mit à me secouer.

– Oui, répondis-je en claquant des dents.

Une seconde plus tard, je fus projeté dans les airs. Mon vol plané s'acheva douloureusement aux pieds d'Ilie. Il en profita pour me flanquer un coup de pied qui m'expédia de l'autre côté, comme un vulgaire ballon de foot.

Je n'en revenais pas. Qu'est-ce qui m'avait pris de lancer ces boules de neige? Et pourquoi personne ne venait à mon secours? Où était donc cet idiot de loup? Je commençais à me demander si j'allais m'en sortir.

Alors que je me levais péniblement, quelqu'un me poussa en plein sur Grégor. Il me souleva de terre une fois de plus et me gifla sur chaque joue pendant que je me débattais.

Puis mon pied gauche l'atteignit à l'entrejambe, et son visage déjà blême devint blanc comme plâtre.

– Ouille! gémit-il en me laissant tomber sur le sol.

Encore sous le coup de la frayeur, je compris soudain que je lui avais fait mal et, saisi de fureur, je m'acharnai contre lui de toutes mes forces. Avec quelque succès, pendant... une seconde environ.

Juste le temps qu'un de ses camarades m'arrache à lui.

– Tue-le, tue-le, haleta Grégor.

Ils auraient pu le faire, je pense, s'il n'y avait pas eu soudain quelqu'un à mes côtés. Quelqu'un d'un peu plus petit que moi. Je sentis une main ferme se poser sur mon bras, puis un ongle pointu marqua ma joue d'un X.

– Je marque ce cageot, fit Ileana Antonescu à voix basse.

Les quatre types se figèrent instantanément, tels des robots qu'on venait de débrancher. Ils regardèrent Ileana d'un air ébahi, comme si elle venait d'annoncer quelque chose d'incroyable et contre lequel ils ne pouvaient rien.

Grégor se redressa.

– Qu'il en soit fait selon votre volonté, princesse, dit-il en s'inclinant légèrement devant elle.

Puis il tourna les talons et se dirigea vers le foyer des élèves, flanqué de Vladimir et de Constantin. Ilie leur emboîta aussitôt le pas.

Les spectateurs se dispersèrent peu à peu en silence.

Ileana retira la main de mon bras.

– Ça ira maintenant, dit-elle. Tu n'as plus rien à craindre.

Puis elle s'en alla, elle aussi.

Qu'aurais-je pu lui dire ? Je ne savais que penser de tout ça. J'avais l'impression d'être dans un film. Un très mauvais film.

D'où venait la force de ces types ? Que voulait dire Ileana lorsqu'elle avait parlé de me marquer ? Et un cageot ? Qu'est-ce que ça pouvait bien être, ce truc-là ?

J'avais mal à l'épaule et mon dos était tout endolori à l'endroit où Ilie m'avait frappé. Mais je n'avais pas appelé au secours, et j'avais frappé Grégor. J'avais même eu le dessus pendant une seconde…

Pourtant, lorsque je promenai mon regard sur la neige grise et piétinée, sur les silhouettes qui s'éloignaient, je me sentis affreusement seul, et perdu, loin de tout.

– Merci, lança une voix derrière moi, alors que je commençais à m'apitoyer sur mon sort.

C'était Justin. Il avait retrouvé sa veste et ses lunettes, et souriait timidement.

– C'est le truc le plus sympa que quelqu'un ait fait pour moi, reprit-il. J'espère que ça va.

Non, ça ne va pas. Ça n'a jamais été aussi mal !

– Je n'en mourrai pas, répondis-je.

– T'en fais pas, continua-t-il d'une voix qui se voulait rassurante, maintenant que tu portes la marque d'Ileana, tu n'as plus rien à craindre, même de leur part.

– Qu'est-ce que tu veux dire par la « marque d'Ileana » ? Et d'abord, que se passe-t-il ici ?

Justin me regarda d'un drôle d'air.

– Tu n'es donc pas au courant, cageot ?

– Ne m'appelle pas cageot, répliquai-je. Je ne sais même pas ce que ça veut dire, mais ça ne me plaît pas.

Justin secoua la tête.

– *Gadjo*, et non cageot, me reprit-il. Ça veut juste dire que… tu n'es pas un des nôtres.

– Précise un peu, je ne vois toujours pas où tu veux en venir.

Il prit une profonde inspiration.

– Ça veut dire que tu n'es pas ce que certains appellent un vampire.

– Si c'est une plaisanterie, elle n'est pas très drôle, râlai-je.

– Je ne plaisante pas, fit Justin. C'est ce que nous sommes.

– Arrête ton char ! Tu te figures que je vais croire que toi, Grégor et tous les autres, vous êtes des chauves-souris assoiffées de sang ?

Justin tressaillit.

– Ce n'est pas si simple que ça.

– Mais tu veux que je te croie ?

– Je peux te le prouver, dit Justin.

Puis il approcha son visage tout près du mien et ouvrit la bouche.

– Regarde mes dents. Elles n'ont rien de spécial, d'accord ? Vise un peu maintenant.

Ses dents commencèrent à s'allonger. Elles sortirent de sa mâchoire supérieure, un peu comme des stalactites, puis réintégrèrent lentement leur place.

– N'aie pas peur, fit-il, je ne te ferai jamais de mal. De plus, tu es marqué maintenant. Demain, tout le lycée sera au courant.

– Faut que j'y aille, dis-je.

Des vampires ! Les vampires existaient réellement, et l'un d'eux était en train de me parler ! Me disant de ne pas m'inquiéter parce que j'avais été marqué par un des leurs. Si j'avais pu, j'aurais filé à toute vitesse, mais j'étais incapable de bouger. Justin persistait à me rassurer encore et encore. Il n'y avait pas de raison de m'en faire, disait-il. Je n'avais rien à craindre… tout était réglé. Mais je ne l'écoutais plus. J'en avais assez d'être là sous la neige, dans une lumière glauque. Je voulais me réfugier dans un endroit chaud et sécurisant, à bonne distance du lycée.

Mes jambes finirent par m'obéir et je pus enfin marcher.

– Je t'accompagne dans l'allée, déclara Justin.

À choisir, j'aurais préféré me balader avec un serpent à sonnette, mais je ne pouvais pas le lui dire. Autant faire ce qu'il me suggérait pour sortir de là vivant. Je marchai donc à ses côtés sans pouvoir m'empêcher de garder la main sur ma gorge.

– Tu peux me poser toutes les questions que tu veux, tu sais, me glissa Justin, alors que nous traversions le campus. Je te dois bien ça…

– Est-ce que tout le monde ici est un vampire ? Vous tous ?

– Ce n'est pas le terme que nous utilisons, expliqua-t-il. Pour nous, ce mot-là est une insulte. Nous nous appelons les *jentis*. Depuis toujours. Ça veut dire les « gens ». Nous sommes pratiquement tous des jentis ici, mais il y a toujours quelques gadjos. Nous en avons besoin pour les sports aquatiques.

– Pour les sports aquatiques uniquement ? m'étonnai-je. Mais pourquoi ? Je ne comprends pas.

Justin baissa les yeux.

– C'est compliqué. En fait, les jentis n'aiment pas beaucoup être dans l'eau. On peut même dire que nous détestons l'eau. Mais, conformément au programme d'État, le lycée doit proposer des sports aquatiques.

– Alors, les autres gars de l'équipe sont tous des gadjos ?

Justin acquiesça d'un hochement de tête.

– Et l'entraîneur ?

– Lui aussi.

– Mais ils ne mettent même pas le doigt de pied dans l'eau, m'écriai-je, et Krofresh est un ivrogne.

– L'État s'en fiche, rétorqua Justin. Tout ce que vous avez à faire, c'est perdre quelques matchs pendant la saison, et vous serez tranquilles pour le restant de vos jours.

– Comment ça, tranquilles ?

– Vous n'aurez plus besoin de rendre un seul devoir, grommela Justin. Vous n'êtes même pas obligés d'essayer ; de toute façon, vous n'aurez que des bonnes notes. Après tes études secondaires, tu iras dans une bonne université, gérée par des jentis. Tu n'auras aucun mal à obtenir une bourse de sportif pour le water-polo et un diplôme. Puis on te trouvera un boulot correct. À Hollywood ou dans un cabinet juridique de renom. Ou sinon dans la politique.

Le sol glacé se déroba sous mon pied. Ça ne pouvait pas être vrai. Les vampires n'existaient que dans les films ou dans les fêtes d'Halloween. Pourtant, tout ce qu'avait dit Justin paraissait singulièrement logique… bien que totalement insensé.

– Depuis combien de temps ça dure ? demandai-je.

– Oh, La Nouvelle-Ninive existe depuis plus de trois cent cinquante ans.

– Alors, les fondateurs de cette ville étaient des vampires ? Enfin, des jentis ?

– Je n'en sais rien, répondit Justin. Ma famille, dont les ancêtres étaient des protestants puritains, a toujours vécu ici. Tout le monde sait qui est qui, et nous nous entendons plutôt bien maintenant.

– Ça n'a pas toujours été le cas ?

Justin poussa un soupir.

– Certaines époques n'ont pas été faciles. Les gadjos ont voulu nous brûler à trois reprises. D'abord, vers 1640, puis en 1650, et ils ont recommencé dans les années 1660. Nous nous sommes battus à l'intérieur même de nos murs en 1676. Toute la ville a été détruite et, d'un côté comme de l'autre, il est resté très peu de survivants. Comme il était évident que personne ne pouvait gagner la guerre, nous avons finalement tous décidé de ratifier l'accord de La Nouvelle-Ninive : les gadjos s'engageaient à nous laisser enfin tranquilles, et les jentis, à… s'alimenter loin d'ici. Nous avons vécu en paix. Nous allions tous dans les mêmes écoles et fréquentions les mêmes endroits, mais chacun gardait ses distances. Ensuite, au XIXe siècle, de nouveaux jentis sont arrivés de Transylvanie et d'ailleurs. Une fois de plus, les gadjos ont recommencé à avoir peur. Il a donc fallu préparer un autre accord, établir des séparations entre gadjos et jentis. Nous avons donc obtenu notre propre lycée. Nos propres magasins également. Et ça marche.

Mes poils se hérissèrent sur ma nuque.

– Et tout le monde est au courant ? Je veux dire, dans le reste de l'État ?

– Ce n'est un secret pour personne, mais les gens n'en parlent pas, dit Justin, et c'est mieux ainsi. Y a-t-il autre chose que tu veux savoir ?

– Vous êtes combien dans cette ville ? demandai-je.

– Quinze mille, peut-être, estima Justin.

Quinze mille vampires dans la ville où j'habitais, et moi, j'étais inscrit dans leur propre lycée ! Pas étonnant que les mecs de mon ancien lycée n'aient jamais évoqué cet endroit.

Il fallait que je sorte de là. Même mon père ne me laisserait pas dans un lycée rempli de vampires. Hum… rectification : il ne m'y laisserait pas s'il savait qu'il était rempli de vampires. Mais comment lui prouver une chose pareille ? Ce n'était pas possible, à moins d'inviter Justin à la maison et de lui demander de sortir ses dents.

Puis une autre idée me vint à l'esprit. Les meilleures notes sans même avoir à bosser, et la garantie d'un bel avenir ! Quant au fait d'être « marqué », Justin m'avait répété que c'était un atout. Et il ne fallait pas oublier l'accord de La Nouvelle-Ninive. Peut-être que je ne risquais rien finalement, et que je pourrais même retourner la situation à mon avantage.

Je sentis ma peur diminuer.

– Le truc d'Ileana, tout à l'heure… quand elle a dit qu'elle me marquait, je ne saisis pas trop à quoi ça rime.

– Tu ferais mieux de lui demander, fit Justin en rougissant.

– Allez, tu me dois bien ça, non ? insistai-je. C'est toi-même qui viens de l'affirmer.

– Je ne peux pas t'en parler, lâcha Justin. Ce n'est qu'une ancienne coutume. La famille d'Ileana est un peu vieux jeu.

Il ne restait plus qu'une limousine dans l'allée. La porte arrière s'ouvrit à notre approche.

– Tu crois que c'est la mienne ? demandai-je.

– Il suffit que tu indiques au chauffeur où tu veux aller, répondit Justin.

Je ne me fis pas prier pour m'installer.

– Merci encore, souffla Justin. Peut-être que tu pourrais venir chez moi un de ces jours ?

– Ouais, affirmai-je, pour ne pas le décevoir.

– À quelle adresse, maître Cody ? demanda le chauffeur, qui semblait avoir neuf cents ans bien sonnés.

– Au 1727, Penobscot Street.

La voiture, dont le moteur ronronnait doucement, s'éloigna du trottoir.

J'observai Justin dans le rétroviseur. Planté au même endroit, il continuait à me regarder. Un léger sourire se dessina sur son visage, et il me fit signe de la main.

Quelque chose me poussa à le saluer à mon tour, de la même façon.

5

M. Horvath hante mes rêves

Une bonne odeur de corned-beef (un de mes plats favoris) m'attendait ce soir-là à la maison. Maman était en train de préparer le repas.

– Comment s'est passée la journée de mon fiston ? fit-elle en s'efforçant de prendre un ton joyeux.

– Ça change complètement de mon ancien lycée.

– En bien ou en mal ?

– Ça n'a rien à voir, dis-je. Est-ce que j'ai le temps de prendre un bain avant le dîner ?

– Tu as amplement le temps, répondit-elle.

Je montai à l'étage et me fis couler un bain pratiquement bouillant dans lequel je versai des sels d'Epsom. Puis je me laissai glisser dans notre énorme baignoire et m'immergeai jusqu'au menton.

Il fallait absolument que je réfléchisse, et j'avais peur de ne pas y parvenir. Mon esprit courait dans tous les sens, comme un animal pris au piège. Je songeais à ce que m'avait dit Justin à propos des vampires et de leur aversion pour l'eau. Le souvenir de l'effroyable moment où Grégor et ses potes m'avaient jeté de l'un à l'autre comme une poupée de chiffon s'imposa aussitôt à mon esprit, et je commençai à trembler de partout.

Impossible de réfréner les tremblements. Mes muscles semblaient animés de leur volonté propre, et je claquais des dents. Étendu dans l'eau, je me perdis dans la contemplation des clapotis. Peut-être laissai-je échapper une plainte ou des soupirs. Je ne sais plus.

Quelle étrange sensation !… Lorsque les tremblements s'arrêtèrent, je me sentis beaucoup mieux. Comme si mon corps avait expulsé ses peurs afin de se préparer à ce qui l'attendait ensuite.

Je sortis de la baignoire et épongeai le sol avec une serviette. Puis j'examinai mon dos dans le miroir. Mes épaules, tout comme l'endroit où Ilie m'avait frappé, avaient déjà viré au violet. Quant à la marque des ongles d'Ileana, elle avait pratiquement disparu.

Je pris deux aspirines avant d'aller dans ma chambre. Je n'avais qu'une envie : m'affaler sur mon lit. Ce que je fis, après avoir passé un pantalon de jogging et une chemise confortable.

Peu de temps après, Papa arriva à la maison. Il discutait avec Maman, et j'eus l'impression qu'ils parlaient de moi, entre autres. Ils s'attendaient sûrement à ce que je leur raconte ma journée. Qu'allais-je bien pouvoir dire ?…

Je descendis l'escalier.

– Salut, fiston, dit Papa. Comment s'est passée ta journée?

– Plutôt bizarre, répondis-je.

Puis le téléphone sonna et Maman me passa le combiné.

– C'est pour toi, Cody, fit-elle en souriant. C'est une fille.

– Allô! dis-je en passant au salon pour être plus tranquille.

– Cody Elliot? lança une belle voix au timbre clair.

– Salut, Ileana.

– Cet après-midi, après que tu as lancé des boules de neige pour l'aider à s'échapper, Justin est venu me chercher, dit-elle. Il voulait que j'intervienne. J'ai donc fait le premier truc qui me passait par la tête. Tu dois comprendre qu'il s'agit simplement d'une ancienne coutume de mon peuple. Rien de plus. Ça n'a aucune signification pour moi, enfin ça ne veut pas dire ce que certains pourraient te raconter. Je tiens à ce qu'il n'y ait pas d'ambiguïté.

– Super, répondis-je.

– Justin m'a téléphoné. C'est lui qui m'a dit que tu lui avais demandé.

– Oui.

– Autrefois, un jenti et un gadjo pouvaient établir une sorte d'alliance, attestée par une marque faite sur la joue du gadjo, expliqua-t-elle. Cette marque indiquait que le gadjo était sous la protection du jenti, et que tous les autres jentis devaient respecter ce partenariat. Même si la coutume tend à disparaître, nous en tenons compte lorsqu'elle est pratiquée. Tu n'as donc plus à t'inquiéter à propos de Grégor et des autres. C'est tout ce que j'avais à te dire… et puis je veux également te remercier d'avoir aidé Justin. C'est mon plus vieil ami.

– Un instant. Tu es en train de me dire que tu m'as marqué pour me protéger, mais qu'en fait tu n'avais pas l'intention de le faire ?

– Non, non, répondit-elle. Je m'explique mal. Cette partie de la coutume correspondait à ce que je voulais, mais tu ne dois pas tenir compte du reste.

– Le reste ?

– Comme je disais tout à l'heure, c'est une coutume très ancienne.

– C'est quoi le reste ?

– J'aime autant ne pas en parler, soupira-t-elle.

– Justin m'a dit de te demander. Simple information.

– Ce n'est rien. Mais il y a de ça très longtemps, le jenti recevait une compensation en échange de sa protection envers le gadjo, lança-t-elle d'un ton précipité.

– C'est-à-dire ?

Il y eut un grand silence.

– Du sang, finit-elle par répondre.

J'avais déjà compris. C'était le dernier morceau du puzzle, et je n'avais même pas peur.

– Mais tu ne dois pas tenir compte de ça, poursuivit Ileana. Je ne veux pas que tu y penses.

– D'accord, répondis-je, comme s'il était simple d'oublier que quelqu'un peut nous utiliser comme banque de sang perso. Mais j'ai une autre question à te poser.

– Vas-y.

– Est-ce que toi et Justin, vous sortez ensemble ?

– Oh, non, répondit Ileana. Nous sommes amis, c'est tout.

– Alors, peut-être que tu aimerais sortir avec moi un de ces jours ?

Il y eut une pause interminable.

– Sortir avec toi ? finit-elle par dire. Merci beaucoup, mais non merci. Je ne peux pas envisager ça. Je ne pense pas que nous soyons du même genre. Mais je t'aime bien. Je crois que tu es un bon gadjo. Tu as fait preuve d'un grand courage cet après-midi, et je te remercie d'avoir sauvé mon ami.

Clic.

– Il n'y a pas de quoi, dis-je alors qu'elle venait de raccrocher.

Je reposai le combiné à mon tour et revins dans la salle à manger.

Maman apporta aussitôt le repas. Nous prîmes place autour de la table et elle alluma des bougies.

Je décidai donc de ne pas m'étaler sur ce qui s'était passé au lycée. Si elle avait mis des chandelles, c'était signe qu'elle était heureuse. Il y avait longtemps que je ne l'avais pas vue comme ça.

Papa s'en rendit compte également. Il décida d'ouvrir une de ses meilleures bouteilles.

– À la tienne, Cody, fit-il en trinquant avec ma mère. À la fin d'une longue journée !

Puis il se rapprocha de moi et versa un peu de vin dans mon verre.

Il m'était parfois arrivé d'en boire, mais je n'avais jamais goûté aux bonnes bouteilles de Papa. Ce vin-là avait un goût de chêne, de poussière et d'un lointain jour d'été.

– Pas mal, dis-je.

– Une bouteille de cent vingt dollars, et il la trouve « pas mal » ! s'exclama Papa. Nous avons élevé un connaisseur.

– Qui était-ce, au téléphone ? demanda Maman.

– Ileana Antonescu. Elle m'appelait à propos des cours.

– Tu as quelques cours en même temps qu'elle ? s'enquit Papa.

– Deux ou trois.

– En fin de compte, comment est-il, ce lycée ? continua Papa en rapprochant sa chaise. Que s'est-il passé après mon départ ?

– Oh, ça ressemble assez à un lycée ordinaire. Mais les élèves travaillent davantage et les profs sont plus bizarres qu'à Cotton Mather.

– Ça m'a l'air très bien, dit Papa.

– Est-ce que quelqu'un t'a fait visiter tout l'établissement, au moins ? demanda Maman.

– Ouais.

– Tu penses que ça va te plaire ? voulut savoir Papa.

– Je ne sais pas encore.

J'avais bu tout mon vin lentement, en le gardant en bouche pour bien l'apprécier ; je levai mon verre vide vers Papa.

– Juste un tout petit peu, dit-il.

Mais le « tout petit peu » fut un peu trop. Ma tête commença à bourdonner, je pouvais à peine ouvrir les yeux. Malgré la faim qui me tenaillait, je n'avais aucune envie de manger.

– Excusez-moi, soufflai-je en me levant. Je vais me coucher.

– Je te laisse de quoi manger au cas où tu te relèverais tout à l'heure, dit Maman.

Je me réveillai quelque temps plus tard sans avoir aucune idée de l'heure. Ma chambre était plongée dans l'obscurité. Le ciel était couvert de nuages.

Je restai étendu sans bouger, le corps endolori, écoutant les arbres soupirer dans le vent.

Le temps semblait s'être arrêté. J'avais l'impression que le matin ne viendrait jamais, et que cela n'avait finalement pas d'importance. Je me sentais désormais en sécurité.

Maintenant, j'étais en état de réfléchir.

Je ne parvenais pas à me décider sur le marché qui m'était proposé.

Ne plus avoir à me soucier de mes notes ou de mon travail pour le restant de mes jours. Ne plus craindre les vampires puisque j'avais la protection d'Ileana… Tout ce que j'avais à faire, c'était patienter jusqu'à ce que les vampires me fassent entrer en fac. Chez moi, en Californie.

Alors, qu'est-ce qui me rendait malade ?

Je me tournai et retournai toute la nuit, examinant la question sous tous ses aspects. J'avais beau essayer, je ne voyais pas ce qui clochait. Les meilleures notes, sans se fouler. La fac, sans même essayer. Et un travail, offert sur un plateau. Où était le piège ?

Au bout d'un moment interminable, je commençai à me demander si je n'allais pas rester à la maison le lendemain pour récupérer. L'idée me paraissait plutôt sensée.

Puis, alors que je venais à peine de fermer l'œil, la sonnerie de mon réveil se déclencha.

« Pas question d'y aller aujourd'hui ! » cria une petite voix dans ma tête.

Je descendis les marches d'un pas chancelant. La plaquette de Vlad Drac était juste à côté du téléphone. Le numéro de ce bon vieux bahut était bien en évidence.

– Lycée Vlad Drac, fit la voix douce de Mme Prentiss.

– Ici Cody Elliot, annonçai-je. Je ne viendrai pas aujourd'hui car je suis malade.

– Oh ! là, là ! répondit-elle. Soignez-vous bien, maître Cody.

Facile comme tout… J'avais ma journée à la maison.

– Cody, ça ne va pas ? s'inquiéta Maman.

– Je suis crevé. Je n'ai pas dormi de la nuit, dis-je.

– Franchement, Cody, je commençais à nourrir l'espoir que tu avais trouvé un lycée où tu te mettrais enfin à travailler, râla Papa.

– Lâche-moi un peu ! m'écriai-je. Je ferai tous mes devoirs et, si je ne récolte pas de super-notes d'ici quelques semaines, tu pourras m'expédier dans un lycée militaire.

Sur ce, je claquai la porte de ma chambre et me jetai sur mon lit. Il ne me fallut pas longtemps pour m'endormir.

Je me réveillai en début d'après-midi et fis quelques étirements. J'avais encore mal au dos, mais ailleurs ça allait.

J'avais rêvé de Horvath. Un rêve complètement idiot, où j'étais assis face à lui dans son bureau. Il me regardait en souriant et me donnait des bonbons. De petits bonbons mous, très sucrés, qu'il enfournait dans ma bouche l'un après l'autre. J'en avais avalé deux et, comme je les trouvais plutôt écœurants, je gardais les autres dans la bouche, sans les manger, jusqu'à ce que j'aie la bouche pleine… C'est alors que je m'étais réveillé.

Le rêve m'avait amusé, mais j'imaginais Horvath tout à fait capable de ce genre de choses pour me garder dans son lycée, tant qu'il avait besoin de moi.

Je me levai, poussé par la faim.

Il n'y avait plus personne à la maison. Maman était partie au supermarché. Elle m'avait laissé un mot sur la table.

Je passai d'une pièce à l'autre, heureux à l'idée d'avoir une journée de liberté.

À part m'informer de la date du prochain match de water-polo, je n'avais rien de spécial à faire. Je pouvais travailler un peu, uniquement si je le voulais, puisque je n'avais aucune obligation de ce côté-là.

Des vampires siégeaient donc au conseil d'administration de certaines facs de Californie. Je me demandais bien où j'allais postuler… Avec quel genre de bourse… Il faudrait déposer des dossiers de candidature dans plusieurs établissements, pour sauver les apparences.

Mon regard glissa vers les fenêtres du jardin. Un ciel de plomb, des arbres d'un noir de jais, et la neige qui ne fondait jamais… J'avais l'impression que ce paysage se déployait aussi en moi-même. Je voyais mon avenir s'inscrire dans les nuages, année après année. Rien que des nuages, et toujours plus de nuages, mais j'allais les traverser sans encombre, sans avoir à lever le petit doigt.

À cette heure-ci, Justin et Ileana étaient sans doute en cours de sciences, en train de corriger leur devoir sur Bételgeuse. Je pariais qu'ils avaient travaillé jusque tard dans la nuit. Mais c'étaient des vampires, après tout. Minuit, ça leur convenait très bien.

Je comptais retourner en cours le lendemain et remettre une feuille blanche à Mme Vukovitch. J'écrirais peut-être juste le mot *Bételgeuse* pour qu'elle sache de quel devoir il s'agissait. Elle me le remettrait après l'avoir noté : 20 sur 20 ! Je donnerais une feuille à M. Mach, avec la mention : *Je ne sais rien sur Mozart*, et là aussi, très bonne note. Shadwell, je prévoyais de lui rendre un simple bout de papier en fin d'année, sur lequel j'écrirais : *Ceci est une épopée*, et ça me vaudrait une excellente note. Histoire-géo : 20 sur 20 ; sport : pareil ; et au water-polo, peu importait… La note n'aurait aucune valeur.

Une fois de plus, je me sentis mal à l'aise.

Il était peut-être temps que je mange quelque chose. L'heure du déjeuner était passée. Je me confectionnai un sandwich, que j'accompagnai d'un verre de lait. Ensuite, je mangeai une pomme importée d'une région ensoleillée, à des milliers de kilomètres du Massachusetts. J'étais rassasié et en même temps écœuré. Comme si j'étais encore en train d'avaler les bonbons de Horvath.

Où était le problème ? J'avais tout ce dont rêve n'importe quel jeune. La certitude d'avoir de bonnes notes, de faire des études et de décrocher un boulot. Sans même avoir besoin de faire quoi que ce soit, à part perdre un match par-ci par-là. Victoire ou défaite, rien de ce que je ferais n'aurait d'importance.

Rien de ce que je ferai n'aura d'importance.

C'était ça, exactement. Ce que j'étais susceptible de faire ou de ne pas faire ne comptait pas. Les vampires avaient ce qu'ils voulaient. Pendant qu'une douzaine de gadjos jouaient dans l'eau à leur place, ils vaquaient tranquillement à leurs affaires dans leurs halls de marbre. Ils travaillaient à des devoirs incroyables, tandis que nous leur servions de couverture. Qu'avions-nous en contrepartie ? Rien, hormis le mépris.

Ce n'était pas notre sang qu'ils suçaient, mais notre fierté.

Sans doute que des types comme Brian Blatt ou notre vieil entraîneur Krofresh s'accommodaient très bien de la situation, mais moi, ça ne me convenait pas du tout. Demain, je retournerais au lycée et je trouverais le moyen de réussir pour de vrai. Et je jouerais au water-polo pour gagner, même si tous les autres s'en fichaient.

Maman rentra à la maison quelques minutes plus tard, le nez tout rouge à cause du froid. De la buée s'échappait de sa bouche.

– Tu te sens mieux, Cody? demanda-t-elle.

– Je vais super bien, dis-je. Est-ce que nous avons des CD de Mozart?

6

Un loup dans la bibliothèque

Il va sans dire que je n'étais pas encore en mesure d'effectuer les devoirs. J'écoutai deux fois un morceau de Mozart appelé *Eine kleine Nachtmusik*, ce qui signifie « Une petite musique de nuit », et je ne discernai rien d'autre qu'un grand méli-mélo de notes.

Pour finir, je décidai de recourir à l'encyclopédie et d'effectuer une recherche sur Internet. Puis j'écrivis :

Wolfang Amadeus Mozart est né en 1756. Il est mort en 1791. Au cours de sa vie, il a composé de nombreuses œuvres musicales, dont Eine kleine Nachtmusik. *Une sérénade littéralement constituée de milliers de notes de musique, ainsi que de 525 Köchel.*

J'ignore ce qu'est un Köchel, mais j'espère que ça fait partie de la question. Que ce soit hors sujet ou non, je vous prie de noter mon travail à sa juste valeur, monsieur Mach. Je ne veux pas de vos 20 totalement bidon.

Ensuite, je m'occupai des sciences.

Comme nous l'avons appris en classe, l'étoile Bételgeuse est une géante toute rouge, qui se trouve à quatre ou six cents années-lumière de la Terre. *Elle explosera un jour, et les premières radiations se feront sentir sur Terre quatre ou six siècles plus tard. Personne ne sait exactement dans quelles proportions, ni comment cela se produira. Ça pourrait être un désastre pour la vie sur Terre.*

Selon vos consignes, j'ai effectué une recherche sur les ceintures de radiations de Van Allen. Composées de matériaux radioactifs retenus par notre champ magnétique, ces ceintures tournent en orbite autour de la Terre. Je ne vois pas trop le rapport avec la question. Je vous prie de me donner une véritable note, madame Vukovitch, et non une super-note uniquement parce que je suis un gadjo.

Le devoir d'histoire-géo ne me posa aucune difficulté. Je décidai tout simplement d'apporter une tranche de bœuf séché en cours.

Cher monsieur Gibbon, je vous prie d'excuser mon absence. Voici de la nourriture salée. Je vous serais reconnaissant de noter ce travail comme vous noteriez une tranche de bœuf séché apportée par un jenti. Inutile de me donner une bonne note si je ne l'ai pas méritée.

Il était onze heures du soir. Maman et Papa étaient au lit. Je n'avais pas de devoir à rendre en anglais, mais je voulais cependant commencer quelque chose.

Je n'avais encore jamais songé à écrire. Comment les gens s'y prenaient-ils ? Est-ce qu'ils s'asseyaient et commençaient à écrire ? Comment savaient-ils quand s'arrêter ? Et où donc allaient-ils chercher leurs idées ?

Voilà ce qu'il me fallait! Une idée! Je pensai à tous les livres que j'avais lus. Mais ils avaient déjà été écrits. J'eus beau réfléchir à tout ce que j'avais pu entendre, voir à la télé ou même imaginer, pas une seule idée ne me vint à l'esprit.

Finalement, je me résolus à écrire une épopée. D'abord parce que Shadwell adorait ça, et ensuite parce qu'elles se rédigeaient en vers. Les lignes étaient donc plus courtes que dans les autres textes.

Je pris une feuille de papier et j'écrivis:

Titre:

Impossible d'aller plus loin. L'épopée du titre! Je serais encore en train de fixer la feuille de papier si Papa ne s'était pas relevé pour m'ordonner d'aller me coucher.

De toute façon, il me restait encore dix-sept semaines avant de rendre mon œuvre. D'ici là, elle serait terminée.

Mes profs eurent carrément un choc lorsque je rendis mes devoirs le lendemain. Quant aux élèves, ils me scrutèrent comme si j'étais un immense insecte qu'ils n'avaient encore jamais vu, et se concentrèrent particulièrement sur ma joue. Ce qui m'amusa, car j'avais l'impression que la marque d'Ileana avait disparu. Peut-être était-elle encore visible pour les vampires… Deux ou trois fois, j'entendis chuchoter les mots «Ileana Antonescu» et «stoker».

Quant à Ileana, elle semblait ne pas me remarquer. Ni en cours, ni même dans le réfectoire. Elle se leva de table après avoir terminé son repas et disparut aussitôt.

Justin me salua en souriant. Il me donna l'impression d'attendre de voir si je voulais me lier d'amitié avec lui. Comme je ne le savais pas encore moi-même, je lui répondis par un salut des plus brefs.

Je ne vis Grégor et sa bande qu'une seule fois, dans les escaliers. Ils descendaient du dernier étage, ce qui indiquait qu'ils étaient au moins en première. M'avaient-ils aperçu ? Si oui, ils ne le montrèrent nullement.

Les gars de l'équipe de water-polo m'accueillirent en scandant : « Sto-ker, sto-ker, sto-ker ! » et Brian hurla :

– Hé ! Voilà Hémoglobine qui arrive ! L'approvisionnement perso de Sa Majesté !

Je n'eus aucun mal à deviner ce qu'il insinuait par cette remarque, mais je ne comprenais pas le sens du mot « stoker ».

Et je n'allais certainement pas m'adresser à eux pour savoir ce qu'il signifiait.

Krofresh sortit des vestiaires avec une bière à la main. Il nous regarda d'un air surpris, comme s'il ne s'attendait pas à nous voir.

– OK, finit-il par dire, on a une équipe au complet, une fois de plus. À la flotte, espèces de nuls.

Les autres sautèrent dans la piscine en râlant.

– Entraîneur, fit la semi-belette aux cheveux roux, où est le ballon ?

– Ferme-la, Lapierre, glapit Krofresh. T'as qu'à nager jusqu'à ce que je te dise d'arrêter.

Puis il repartit en direction des vestiaires.

– J'ai besoin de quelques renseignements, entraîneur, fis-je.

Krofresh s'arrêta et se retourna, l'air perplexe.

– Quoi, par exemple ? grogna-t-il finalement.

– À propos de notre emploi du temps.

– Jette un coup d'œil sur l'affiche du bureau et lâche-moi, ronchonna-t-il avant d'effectuer un demi-tour vers les vestiaires et sa réserve de bière.

– Mais quand a lieu le prochain match ? insistai-je.

– T'as qu'à regarder, fit Krofresh. C'est pas à moi de tout vous dire, bande de nuls.

– Moi je sais, moi je sais ! claironna Lapierre qui sautillait et agitait la main comme un petit môme. C'est mardi après les cours, pas vrai ? Pas vrai, entraîneur ?

– Lâchez-moi les baskets, maugréa Krofresh.

Mais il me restait encore une question.

– Entraîneur, est-ce que cette équipe a un nom ?

Cette fois, il se retourna si vite qu'il faillit en perdre l'équilibre.

– C'est qui l'abruti qui connaît pas le nom de son équipe ? brailla-t-il.

– Personne me l'a dit, monsieur, fis-je.

– Ellison, espèce de nul, on a le même nom que n'importe quelle autre équipe de l'école, s'étrangla Krofresh. Qu'est-ce que vous attendez pour lui dire, bande de nuls ?

Lapierre se gratta la tête puis se tourna vers Brian Blatt:

– Tu te rappelles, toi?

– Hé, c'est toi qui devais te rappeler le nom de l'équipe, observa Brian. Je ne peux pas tout me rappeler.

Un des gars, qui avait une tête de tortue, demanda:

– C'est les «Guns N'Roses», non?

– C'est un groupe de rock, ça, Tracy, lui fit remarquer Lapierre. Nous, on est une équipe.

– Ah oui! s'exclama Tracy, comme s'il venait de découvrir quelque chose de super important. Maintenant, je me rappelle.

– C'est pas mal comme nom, insista le cinquième type, qui avait tout du barracuda. Et si on s'appelait les «Guns N'Roses»?

– Vous êtes nuls, archi-archinuls, tonna Krofresh. Nous sommes les Empaleurs. Pigé?

– Merci, entraîneur, répondis-je. Au fait, il me semble que je m'appelle Elliot. Je vérifierai en rentrant chez moi.

Deux gars s'esclaffèrent. L'un avait les yeux bleus et des marques d'acné aussi grandes que des cratères sur la face sombre de la lune. L'autre était petit et avait l'air d'une chochotte.

– Vous autres, Elliot, Pyrek, Falbo, faites-moi des longueurs, ordonna Krofresh.

Il se dirigea vers son bureau.

– Hé, Falbo, répéta le gars aux traces d'acné, fais-moi quelques longueurs!

– Tu peux les mettre où je pense, tes longueurs ! rétorqua la chochotte nommée Falbo.

Tout le monde se mit à rire.

Côte à côte, le long du bord de la piscine, nous savourions l'agréable sensation d'être débarrassés de ce boulet de Krofresh. Et je me dis que c'était peut-être le début de mon intégration dans l'équipe…

Puis le barracuda brisa le silence.

– Au fait, stoker, on avait une très bonne équipe avant que tu débarques.

– Je vois ça, lançai-je d'un ton détaché.

Il se glissa hors de la piscine à la manière d'un reptile, puis il alla lorgner les vestiaires, en marchant sur la pointe des pieds.

Ensuite, il revint vers nous et nous fit signe que tout allait bien.

– Ça baigne, Barzini, dit Lapierre.

– Ferme-la, lui souffla ce dernier. Tu veux le réveiller ou quoi ?

Tout le monde sortit de l'eau, et je les suivis. J'avais envie de nager un moment tout seul, mais je voulais d'abord trouver Justin. Pour lui demander ce qu'était un stoker.

Après les cours, il y avait beaucoup de monde aux alentours du foyer des élèves. Je n'eus aucun mal à trouver quelqu'un pour m'indiquer où était Justin.

– Il travaille à la bibliothèque le vendredi après-midi, si je ne me trompe pas, m'annonça Anatole, un jenti qui était avec moi en cours d'anglais. Tu sais où se trouve la bibli, stoker?

– Je trouverai, répondis-je.

On ne pouvait pas la rater. Elle était située complètement à l'opposé du foyer, dans un énorme bâtiment. L'entrée, qui ressemblait à un temple romain, était prolongée de deux ailes gigantesques. Au-dessus de la porte était gravée l'inscription suivante : *Le fondement de la gloire de chaque peuple réside en ses auteurs.*

L'endroit était désert.

Normal pour une bibliothèque un vendredi après-midi, même chez les jeunes vampires.

Puis j'entendis un léger bruit et, alors que j'avançais dans l'aile gauche à la recherche de quelqu'un, je vis Justin près d'un chariot rempli de livres qu'il rangeait soigneusement sur les étagères.

Il sembla surpris de me voir, et même un peu gêné.

– Oh, salut Cody. Attends un peu, fit-il sans même essayer de murmurer, puis il claironna : Madame Shadwell ! Il y a quelqu'un !

Soudain, un rat surgit à l'angle d'un rayonnage et, derrière lui, débarla un énorme loup roux montrant les crocs.

Je poussai un cri d'effroi et sautai en arrière, mais le loup s'élança à la poursuite du rat.

– C'est Mme Shadwell, bredouilla Justin en rougissant. Elle sera là dans un instant, dès qu'elle sera habillée.

On entendit alors couiner le rat. Le loup claqua des mâchoires et poussa un grognement qui ébranla les étagères. Et moi-même…

— B'jour-jeu-vou-prie-d'mex-cuser, fit une voix rauque. J'ar-rive.

Suivirent des bruits sourds et des froissements. Quelques minutes plus tard, une grande femme à la chevelure rousse s'avança vers moi en souriant de toutes ses dents, et me tendit la patte – je veux dire, la main.

— Bonjour, dit-elle d'une voix bien plus agréable et étonnamment forte. Vous devez être le nouveau gadjo du cours d'anglais de mon mari.

— Enchanté, madame, dis-je poliment.

— Désolée pour le loup, continua-t-elle. Ça fait une semaine que j'essaie d'attraper ce rat, et c'est bien plus facile quand on est un loup.

— Vous ne l'avez pas raté, cette fois, madame Shadwell, constata Justin.

Mme Shadwell se lécha les lèvres.

— Il ne s'amusera plus à ronger les livres, commenta-t-elle, tandis que mon estomac se retournait… Comment puis-je vous aider, maître Cody ?

— Je voulais juste demander quelque chose à Justin, répondis-je, en m'efforçant d'oublier que je m'adressais à un loup-garou.

— Bien, dit-elle avec un grand sourire. Si vous avez besoin de moi, je serai dans le bureau. N'hésitez pas à me demander. J'adore aider les gens dans leurs recherches.

J'attendis qu'elle s'éloigne pour interpeller Justin :

— Bon sang, pourquoi tu ne m'as pas dit qu'il y avait des loups-garous ici ?

— Les loups-garous, ça n'existe pas ! s'exclama-t-il. Du moins je ne pense pas. Quant à Mme Shadwell, c'est juste une lycanthrope ordinaire.

— Arrête ton charabia, râlai-je.

— Ça veut simplement dire qu'elle peut se transformer en loup quand elle le désire, fit Justin. D'ailleurs, pas mal d'entre nous y parviennent aussi.

— Je croyais que les vampires, enfin je veux dire les jentis, se transformaient en chauves-souris. Et toi, tu peux te transformer en quoi ?

— C'est assez compliqué. Quelle que soit la transformation, le poids et la masse ne varient pas. Donc, personne ne peut se changer en véritable chauve-souris. À quoi ça servirait ? Une chauve-souris de soixante-quinze kilos ne pourrait même pas voler. Certains d'entre nous peuvent toutefois se transformer en un genre de chauve-souris.

— Mais plus grand, non ?

— Bien plus grand, répondit Justin tout en continuant à ranger ses livres et en s'efforçant d'éviter mon regard. Bref, c'est pourquoi la plupart d'entre nous préfèrent se transformer en loups. On est plus à l'aise en loup.

– Je comprends, fis-je, imaginant Justin battant des ailes au-dessus de la ville par une nuit de pleine lune. Et toi, qu'est-ce que tu préfères ?

– Hum… il faut beaucoup d'entraînement, soupira-t-il. Et de talent. Ce n'est pas à la portée de tout le monde.

– Dommage.

Justin haussa les épaules.

– Aucune importance. Autrefois, on pouvait se transformer en loup ou en chauve-souris géante pour échapper à ses ennemis, mais ce n'est pas vraiment nécessaire aujourd'hui. Mon père, lui, y arrivait très bien. Il pouvait atteindre une envergure de quinze mètres.

– Wouaoh !

– Alors, qu'est-ce que tu voulais me demander ?

– Je veux savoir ce qu'est un stoker.

Justin hocha la tête et demanda :

– Quelqu'un t'a appelé ainsi ?

– Pratiquement tout le monde.

– C'est une insulte. Essaie de ne pas y faire attention. Ça n'a rien de vrai, de toute façon. C'est juste parce que tu m'as aidé mercredi.

– Mais qu'est-ce que ça veut dire ?

– Tu as déjà entendu parler d'un livre qui s'appelle *Dracula* ?

– Bien sûr, comme tout le monde.

– *Dracula* a été écrit par un type qui s'appelait Bram Stoker. Il a rencontré quelques jentis lors d'un voyage en Europe et en Amérique. Il est venu six fois ici. Un de mes grands-pères lui a parlé. Il faisait bonne impression. Comme tout le monde le trouvait sympa, il a recueilli pas mal de témoignages de jentis, sur leurs vies, leurs coutumes, et il en a fait cette horreur de bouquin, en déformant tout ce qu'il avait entendu. Depuis, lorsqu'un gadjo se lie d'amitié avec un jenti, il y a toujours quelqu'un pour le traiter de « stoker ». Mais rassure-toi. Il y a bien pire comme injure.

– C'est-à-dire ?

– Traiter quelqu'un de « bram ». Autrement dit, une personne qui a fait du mal à un jenti. Ce qui est très grave. Celui qui commet ce genre de méfait finit tôt ou tard par se faire avoir.

– Quand tu dis « se faire avoir »… ?

– Ça veut bien dire ce que tu penses, m'interrompit Justin. Tu sais, il n'y a pas grand-chose de vrai dans *Dracula*. Il a laissé de côté tous les éléments intéressants qui nous concernaient, toutes les bonnes choses qu'il aurait pu écrire.

– Par qui s'est-il fait avoir ?

– Personne n'a eu Stoker. Beaucoup en rêvaient, mais il portait la marque de Dracula. Or Dracula avait déclaré que c'était sa faute à lui, que c'était lui qui aurait dû se méfier de Stoker. Il voulait qu'on laisse simplement l'affaire s'éteindre d'elle-même. Tu vois comment les choses ont tourné après ça…

– Attends un peu, tu veux dire que Dracula a réellement existé ?

– Évidemment, fit Justin en me regardant d'un drôle d'air.

– Alors, tu crois que je suis un stoker ?

– Bien sûr que non. Toi, tu fais partie des gadjos dignes de confiance.

Sa remarque me fit chaud au cœur, et je le trouvai soudain très sympa.

– Quand est-ce que tu termines ? demandai-je.

– Dans un quart d'heure, fit-il en regardant sa montre.

– On se voit après, si tu veux.

– Pas de problème, répondit-il avec un petit sourire.

– Bon, je vais faire un tour en attendant. À tout de suite.

– Très bien.

À la bibliothèque, comme ailleurs, tout respirait le luxe et incitait à l'étude. Des murs tapissés de livres, de nombreux ordinateurs, des fauteuils moelleux, des tables de travail spacieuses et des bureaux individuels, le tout éclairé de lumières agréables. Au sol, des tapis épais étouffaient le bruit des pas.

De grandes inscriptions en lettres dorées indiquaient les matières au-dessus des alcôves situées le long des murs : *Histoire*, *Géologie*, *Littérature américaine* et, au-dessus de la dernière… *Dracula*.

Une alcôve entièrement remplie d'exemplaires de *Dracula*. De nombreuses étagères réservées aux éditions anglaises, mais également toute une section destinée aux autres langues. Toutes les langues du monde, me sembla-t-il.

– Vous avez trouvé ce qu'il vous fallait ? fit la voix de Mme Shadwell derrière moi.

– Oh, je ne fais que regarder. Pourquoi avez-vous tant d'exemplaires du même livre ?

– Tous les élèves de Vlad Drac sont tenus de le lire, expliqua Mme Shadwell. Tous, de la sixième à la terminale. On l'étudie en classe, tout comme l'histoire de l'Amérique.

– Dans ce cas, je devrais peut-être m'y mettre, dis-je, essayant de marquer un point.

Le visage de Mme Shadwell s'illumina, comme si je venais de lui offrir une Cadillac.

– Merveilleux ! s'écria-t-elle. Tenez, essayez cette édition. Ou plutôt celle-ci, truffée d'excellentes indications. Ah, il y a aussi celle-là, avec une jolie police de caractères.

Elle continua à me charger de livres jusqu'à ce que je commence à crouler sous le poids.

– Merci, je vais prendre celui-ci, dis-je d'un ton réfléchi en posant la pile sur une étagère et en faisant semblant d'en choisir un.

– Je peux vous aider à trouver autre chose ? demanda-t-elle.

— Non, je vous remercie beaucoup, mais je dois partir avec Justin.

— Excellent ! s'exclama-t-elle, criant presque. Vous pouvez revenir quand vous voulez, maître Cody.

Je retrouvai Justin. Nul besoin de limousine. Il habitait tout près. Après quelques pâtés de maisons, nous tournâmes dans une longue rue étroite, bordée d'arbres dont les branches emmêlées formaient comme une voûte.

Au bout de la rue se trouvait une maison branlante, qui semblait avoir été réaménagée une centaine de fois, et d'une centaine de façons différentes. Elle n'en finissait pas de se déployer dans tous les sens, en hauteur et en largeur, toujours de travers. Il y avait sûrement des fantômes à chaque étage. À part une lumière allumée derrière une fenêtre près de la porte d'entrée, toute la maison était plongée dans l'obscurité.

— Nous y sommes, dit Justin en me cédant le passage.

Je me demandai, l'espace d'un instant, si je reverrais le monde extérieur.

Justin poussa la porte et j'entrevis une pièce chaleureuse au plafond bas. Alors que nous étions dans le vestibule en train d'enlever nos manteaux et nos bottes, le carillon de la grande horloge murale sonna quatre heures.

Quelque part au fond de la maison, quelqu'un jouait du piano à la perfection. Je reconnus la mélodie. C'était *Eine kleine Nachtmusik*.

— Ma mère enseigne le piano, dit Justin. Viens, on monte. Je te la présenterai plus tard.

Je le suivis dans un escalier si vieux que les marches ondulaient comme des vagues. Mais elles craquaient à peine. De toute évidence, ceux qui l'avaient construit connaissaient bien leur travail.

– Nous y voilà, fit Justin, en ouvrant une porte du premier étage qui donnait sur un petit deux-pièces.

L'une des pièces était une chambre ordinaire. L'autre pièce, remplie d'aquariums, contenait également un télescope, quelques fauteuils et une table. Tous les poissons appartenaient à une seule et même espèce.

– J'élève des scalaires, précisa Justin.

Il se dégageait de tout cet ensemble, y compris des poissons, une impression de confort et de vieilles habitudes.

– C'est super! m'exclamai-je.

– Tu aimes bien les poissons? me demanda Justin.

– Oui, je suppose. Je n'y connais pas grand-chose.

– J'ai toutes les sortes de scalaires, expliqua-t-il. Le noir, le doré et, bien sûr, l'argenté et le rayé ordinaires. Ceux que j'ai en trop, je les vends aux animaleries. J'ai des clients jusqu'en Oregon.

Les poissons, presque tous identiques, nageaient lentement dans l'eau verdâtre. En les voyant évoluer ainsi, dans leur petit monde de beauté et de silence, je songeai aux élèves de Vlad Drac.

– Tu veux m'aider à les nourrir? demanda Justin.

– Bien sûr.

Au coin de la pièce se trouvait un tout petit réfrigérateur contenant de nombreux sachets en plastique, remplis de vers mous et brunâtres, fins comme des cheveux.

– Ce sont des vers tubifex, commenta Justin. Un genre de complément alimentaire.

Il prit l'un des sachets et commença à verser des petits tas de vers dans les aquariums. Ils flottaient à la surface, agglutinés les uns aux autres. Les plus vifs d'entre eux essayaient de se détacher de leur groupe.

Le comportement des scalaires changea complètement au moment de la distribution du repas. Tels des rapaces prêts à foncer sur leurs proies, ils se déplaçaient si rapidement que je pouvais à peine les voir. Puis ils déchiquetaient les grappes de vers, en avalaient plusieurs d'un coup et repartaient à la charge.

– Tiens, fit Justin en me passant tout un sachet. Ce n'est pas compliqué.

Pour lui, peut-être. Ma première fournée de vers me fit une drôle d'impression. Sans doute parce qu'ils étaient froids, visqueux et mous. Ce n'est qu'une fois dans l'eau qu'ils se mirent à bouger, au moment où les scalaires se jetaient sur eux.

Nous avions terminé la distribution. Les poissons des premiers aquariums avaient eu leur content de nourriture. Ils nageaient sans se presser, gardant l'œil sur les derniers vers qu'ils mangeaient en dessert. Observer les aquariums m'évoqua un documentaire scientifique, du style *Le Com-*

portement des poissons. J'imaginai une courbe mesurant leur excitation qui monte, culmine, puis descend, marquant les trois temps du repas : avant, pendant et après.

Une fois rassasiés, les scalaires retrouvèrent la quiétude des eaux vertes. Le calme régna de nouveau dans les aquariums. Comme dans les couloirs de Vlad Drac.

Des vampires ! Que faisais-je en leur compagnie ? Même si tout ce que m'avait dit Justin était vrai, même s'ils étaient très sympas avec les gadjos qu'ils aimaient bien, ils étaient bien obligés de boire du sang de temps en temps. Que se passait-il dans ces moments-là ? Comment s'y prenait Justin ? Ou Ileana ?

Mon visage révéla sans doute mon sentiment d'effroi car Justin me demanda :

– Ça va ? Tu as l'air pâlot.

– Oui, ça va. C'est la première fois que je nourris des poissons.

– Ne t'inquiète pas, fit Justin d'une voix rassurante. Ça a changé. Ce n'est plus comme ça.

Lisait-il dans mon esprit ? Les vampires avaient donc ce pouvoir ?

– Si tu veux savoir, fit calmement Justin, nous l'achetons presque tout le temps, par demi-litres. C'est plutôt cher, mais il nous en faut absolument. Pour nous, c'est comme de l'air.

– Et si vous n'en avez pas, que se passe-t-il ?

– Nous mourons.

– J'ai toujours cru que vous étiez immortels, vous autres.

– Dans ce cas, où est mon père? dit Justin d'un ton amer. Nous mourons, tout comme vous. Nous sommes plus forts, et nous pouvons vivre beaucoup plus longtemps. Certains d'entre nous savent même changer d'apparence, mais une maladie ou un accident de voiture peuvent nous tuer.

– C'est ce qui est arrivé à ton père?… Tu n'es pas obligé de me répondre, ajoutai-je.

Justin haussa les épaules.

– Il a été tué lors d'une opération des forces spéciales à l'étranger. Il appartenait à une unité de reconnaissance de nuit dirigée par l'armée et constituée de bénévoles. Uniquement des jentis. Une mission très secrète, tellement secrète qu'il s'est fait descendre par les siens. Ils ignoraient tout de son identité. Et bien sûr, selon la version officielle, cette opération n'a jamais eu lieu.

– Oh, je suis vraiment désolé, dis-je avec sincérité.

– L'armée indemnise ma mère, continua Justin. Et la maison est à nous. Elle a toujours été à nous. C'est tout ce que nous avons. Ce n'est pas avec des leçons de piano qu'on peut s'enrichir, ici.

– Je commençais à croire que vous étiez tous riches.

– La plupart des jentis de la région le sont, observa Justin.

Tout d'un coup, je mesurai l'horreur de sa situation.

– Justin, tu n'as jamais invité personne chez toi, n'est-ce pas?

Il hésita avant de répondre.

– Non, finit-il par dire. À part Ileana. Nous avons grandi plus ou moins ensemble. Avant, elle habitait la maison d'à côté. On faisait des pâtés de sable quand on était petits, on s'amusait. Mais tu sais comment c'est. On a grandi, et maintenant elle n'a plus beaucoup de temps après les cours.

Oui, je savais ce que c'était de ne pas avoir d'amis. Je pensai à Justin, allant au lycée, se démenant pour obtenir des notes que moi je pouvais recueillir sans le moindre effort… Je l'imaginai rentrant chez lui, avec des poissons en guise de compagnons. Et pour la première fois depuis longtemps, je m'apitoyai sur quelqu'un d'autre que moi.

– Tu sais, Justin, m'entendis-je lui dire, tu es chouette comme mec.

– Merci. Viens, dit-il, remarquant que la musique s'était arrêtée. Je vais te présenter à ma mère.

Nous descendîmes les escaliers au moment où Mme Warrener sortait de la salle de musique avec son élève.

Qui n'était autre qu'Ileana.

– Oh! s'exclama-t-elle en nous apercevant. Quelle surprise!

– Justin était en train de me montrer ses poissons, dis-je.

Rien qu'en la regardant, je sentais des picotements.

– Ils sont superbes ! s'écria-t-elle.

– Et féroces, ajoutai-je.

– Maman, je te présente Cody Elliot, interrompit Justin.

Mme Warrener me donna une poignée de main ferme et amicale.

– Un grand merci, Cody. Ileana m'a raconté ce qui s'était passé au lycée cette semaine.

Son regard s'illumina. Elle était vraiment belle.

– Oh, ce n'était rien, marmonnai-je.

– Si, c'était bien plus que tu ne le crois, dit-elle. Est-ce que toi et Ileana, vous aimeriez dîner avec nous ?

J'hésitai un instant. J'appréciais la compagnie de Justin, mais je me demandais ce que les vampires mangeaient quand ils rentraient chez eux et qu'ils n'étaient plus en présence de gadjos.

– Je vais demander la permission à mes parents, répondit Ileana. Ça fait longtemps que je n'ai pas vu Justin en dehors des cours.

Si elle restait dîner, peu m'importait le menu finalement.

– Moi aussi, je vais appeler mes parents, lançai-je.

Maman me donna la permission sans hésiter.

– Bien sûr, mon grand. Amuse-toi bien, dit-elle. Appelle-moi dès que tu es prêt à rentrer. Je viendrai te chercher.

Ileana parla à ses parents dans une langue dont les sonorités évoquaient à la fois des clapotis de fontaine et des rouages qui grincent. Je reconnus les mots « Justin » et « Cody Elliot », ainsi que des « OK, OK ».

– Je peux rester, fit-elle en se tournant vers nous.

Le visage de Justin s'éclaira.

7

Un monde dans la cave

Vous voulez savoir ce que mangent les vampires au dîner ? De la soupe de pommes de terre, de la salade et de la tarte aux pommes. Pas un gramme de sang en vue, ni un seul vermisseau.

Mais ce qui m'enchanta le plus, à table, ce fut la conversation. Nous parlions à bâtons rompus. Il faut dire que Mme Warrener avait l'art de nous faire parler tous les trois. Elle m'interrogea sur mon ancien lycée, ce qui intéressa beaucoup Justin et Ileana. Ils me posèrent toutes sortes de questions, sur la Californie entre autres, et me racontèrent un tas d'histoires sur Vlad Drac. Au moment du dessert, j'avais déjà l'impression de les connaître un peu.

Après le repas, Justin fit la vaisselle. Ileana rangea les assiettes et les couverts au fur et à mesure que j'essuyais. Pendant ce temps, pour nous donner du courage, Mme Warrener nous lut un livre de James Thurber, relatant plein d'anecdotes à propos de sa famille. Des farfelus qui avaient vécu en Ohio. Les chapitres avaient des titres du genre : « La voiture qu'il fallait pousser » et

«La visite du fantôme». Un récit tellement hilarant que le saladier m'échappa des mains. Heureusement, il était en bois.

– As-tu montré l'Illyria à Cody? demanda Ileana à Justin, une fois la vaisselle terminée.

– Oh, non, dit Justin. Je ne pensais pas que ça l'intéresserait.

– Tout est encore en bas? s'enquit Ileana.

– Oui, je pense, répondit Justin.

– De quoi s'agit-il? demandai-je.

– C'est un jeu auquel on jouait souvent avant, dit Justin.

– Le meilleur jeu du monde! s'exclama Ileana. C'est un monde, en fait. On devrait le montrer à Cody.

– Oh, je ne sais pas… hésita Justin. Il y a longtemps que je ne suis pas descendu là-dedans.

– Allez! insistai-je. Vous m'en avez trop dit!

– C'est une très bonne idée, commenta Mme Warrener. Pourquoi ne descendez-vous pas tous les trois pendant une heure? Je vous ferai du chocolat chaud quand vous remonterez.

– Bon, d'accord, dit Justin, allumant une lumière près de la porte de la cave. Mais on n'est pas obligés de rester si personne n'est intéressé.

Nous descendîmes des marches très anciennes, mais en pierre cette fois. Elles menaient à une cave immense dont les murs étaient garnis d'étagères remplies de vieilleries.

De grosses poutres, ainsi qu'une voûte rappelant l'architecture des châteaux, soutenaient le plancher du dessus.

Mais le plus intéressant, c'était le sol. Il était couvert de bouteilles, de boîtes et d'objets de toutes sortes, disposés de façon à figurer des villes. Çà et là étaient aménagées des forêts constituées de brindilles piquées dans de l'argile, des montagnes façonnées à l'aide de plâtre et de grillage. Des rivières dessinées à la craie bleue, des champs coloriés à la craie verte et, partout, des petits soldats à cheval.

Il s'agissait de soldats à l'ancienne, en métal peint à la main. Certains étaient plats, d'autres en relief. Ils brandissaient des épées. Quelques princesses et dames d'honneur faisaient également partie du décor.

– Voilà, c'est ça, dit Justin.

– L'Illyria ! s'écria joyeusement Ileana.

Elle s'avança vers l'une des villes situées à l'extrémité de la cave.

– Ici, c'est ma ville, annonça-t-elle. La Nouvelle-Florence. Une cité de poètes, d'artistes et d'acteurs. Les soldats y sont interdits de séjour.

Je m'approchai pour mieux voir.

– Là, c'est la rotonde, expliqua-t-elle en désignant un grand présentoir à gâteaux en verre surmonté d'une cloche. C'est un lieu réservé aux pièces de théâtre et à la poésie. Et ici, nous avons la cathédrale, dit-elle en montrant une boîte en bois sculpté, surmontée d'une bouteille bleue. Et voilà l'hôpital, la bibliothèque, le café, et enfin le musée.

Dans la ville d'Ileana, tous les bâtiments étaient séparés par des espaces verts et regroupés autour de places en enfilade. C'était génial, mais il y avait un hic : les rues et les squares grouillaient de soldats.

– Je croyais que les soldats étaient interdits ?

– Regarde bien. Tu vois des armes quelque part ? répliqua Ileana.

Non, en effet. Tous les fusils, les pistolets et les épées avaient été brisés. Certains soldats étaient amputés d'un bras ou d'une jambe.

– Aucun soldat ne peut venir à La Nouvelle-Florence s'il n'a pas perdu ses armes. Celui-ci, c'est Anaxandre, continua-t-elle, en me tendant un des soldats manchots, un cavalier en uniforme noir. C'est notre plus grand poète. Et plus loin, voilà son ami Vasco. Un poète également, et surtout notre meilleur chanteur.

Vasco avait lui aussi perdu un bras.

– Tous ces hommes ont renoncé à la guerre. Ils ont trouvé leur véritable voie, dit Ileana à mon intention.

– Ils ont tous été brisés, fit Justin. Les bons soldats sont dans les autres villes.

– Quelles villes t'appartiennent ? lui demandai-je.

– Celle-ci, répondit Justin. Elle s'appelle Trois-Collines.

Trois-Collines était la plus grande ville d'Illyria. Elle occupait trois des montagnes faites en grillage, et l'espace qui les séparait. À la différence des autres villes, elle était entourée d'un mur flanqué de tours de garde et défendu par des canons.

– C'est super ! m'exclamai-je.

– On venait ici tous les jours, avant que je déménage, dit Ileana. Dommage que tu n'aies pas continué à l'agrandir, Justin.

– J'ai essayé deux ou trois fois, répondit-il. Mais sans toi, ce n'était pas très marrant.

– Pourquoi avez-vous choisi ce nom ? demandai-je.

– Parce que c'est un beau nom, affirma Ileana.

– Ça ressemble à ton prénom, dis-je. Ileana, Illyria.

– Non, non, fit-elle. C'est un véritable endroit, ou plutôt c'était. Une province de l'Empire romain. Napoléon l'a reconstituée pendant un temps. Et Shakespeare s'en est inspiré dans ses pièces.

– Oui, mais uniquement pour le nom, commenta Justin. Il ne connaissait rien de la véritable Illyria.

– C'est ça qui est génial, répliqua Ileana. Le fait que ce soit vrai et pas vrai à la fois.

– Comment vous jouez ? demandai-je.

– On invente, c'est tout, répondit Justin.

– Nous avons tout imaginé, renchérit Ileana. Leurs lois, leur littérature, et nous leur avons fait jouer des pièces de théâtre. Nous avons inventé leur histoire, puis nous l'avons écrite. Les personnages ont vécu toutes sortes d'aventures.

Le visage de Justin s'était empourpré.

– C'était juste des trucs de gamins, remarqua-t-il.

– Génial! m'exclamai-je en promenant un regard d'envie sur leur monde.

– Justin, et si on montrait à Cody comment on joue? proposa Ileana.

– Euh… bredouilla Justin.

– Oh, j'aimerais bien, dis-je.

– D'accord, répondit Justin. Toi, tu auras cette ville-là. Elle s'appelle Palmyre, mais tu peux changer son nom si tu veux.

Palmyre était composée uniquement de trois grands bâtiments, et peuplée d'une douzaine de soldats environ. Mais elle disposait d'un grand port, et il restait beaucoup d'espace pour construire.

– Palmyre est géniale.

Quand vint l'heure d'arrêter, j'avais trouvé des barquettes à olives et j'en avais fait des cargos chargés de sel, puis j'avais utilisé du sel pour construire une longue route droite entre Palmyre et La Nouvelle-Florence.

J'avais aussi commencé à aménager un parc derrière la nouvelle mairie (une vieille boîte de conserve qui avait contenu du sirop et qui ressemblait à une cabane de rondins).

Justin construisit une banlieue autour de Trois-Collines, à l'aide de quelques coquilles de noix qu'il éparpilla à une certaine distance du mur.

– Ce sont les maisons des gens qui ne veulent plus vivre à Trois-Collines parce qu'ils trouvent que c'est trop réglementé, annonça-t-il. Ils sont loyaux, mais ils ont envie d'être plus relax. Ils vendent des fleurs et des légumes à la ville.

– Il devrait y avoir une auberge, proposai-je. Ou un lieu de ce genre, pour que les gens puissent retrouver leurs amis.

– Excellente idée, fit Justin en posant un pot de fleurs à l'envers.

– C'est un peu grand par rapport aux maisons, non ? dis-je.

– Eh bien, peut-être que les gens ont beaucoup d'amis, répondit-il.

Pendant ce temps, Ileana présidait à un débat sur la construction éventuelle d'une statue devant la rotonde. Ses deux poètes étaient d'avis opposés. Ils se disputaient tant qu'elle se tourna finalement vers nous :

– Seigneurs, dit-elle, nous ne parvenons pas à prendre une décision. Que conseillez-vous ?

Une âpre discussion s'ensuivit. Justin défendait un avis, et moi un autre… Jusqu'à ce que Mme Warrener nous appelle.

Je ne voulais plus arrêter. C'était la première fois que je m'amusais autant depuis notre arrivée dans le Massachusetts.

Puis une brillante idée me vint à l'esprit.

– Est-ce que quelqu'un a déjà écrit une épopée sur Illyria ? demandai-je.

– Tu veux parler d'une épopée à la Shadwell ? s'enquit Justin.

– Exactement.

– Non, dit-il.

– Et si je m'y mettais ? Il faut que je fasse quelque chose pour le cours d'anglais.

– Non, me reprit Justin. Tu n'es pas du tout obligé de rendre quoi que ce soit. Tu te souviens de ce que je t'ai dit ?

– Oui, je sais. Mais je veux quand même le faire. J'ai rendu mes devoirs aujourd'hui, et j'ai demandé à tous les profs de me noter pour de vrai.

– Tu plaisantes ? fit Justin.

– Vous croyez que je ne suis pas à la hauteur ? lançai-je.

– Ce ne sera pas facile, commenta Ileana. Les écoles gadjos ne t'y ont pas préparé.

– Alors, je travaillerai encore plus dur, répondis-je. Mais je ne ferai pas semblant.

– Très bien, affirma Justin. Dans ce cas, je t'aiderai. Je ne me débrouille pas trop mal en classe.

– Merci. Alors, vous êtes d'accord pour que je rédige cette épopée ?

– Il faut que tu l'écrives, répliqua Ileana. Je te raconterai un tas d'histoires.

Shadwell risquait de se retrouver devant la plus longue épopée qu'il ait jamais lue.

Nous étions en train de boire notre chocolat chaud, en pleine conversation sur l'épopée (qui allait s'appeler *L'Illyriade*), quand Hamilton Antonescu vint chercher Ileana.

C'était un homme de petite taille, pas tellement plus grand que sa fille. Il avait belle allure, avec ses moustaches grisonnantes et ses grands yeux sympathiques.

– Enchanté ! fit-il en me donnant une poignée de main des plus vigoureuses.

Décidément, même s'ils n'étaient pas toujours très grands, tous ces vampires étaient sacrément musclés.

– J'espère que tu te plais à Vlad Drac, me lança-t-il avec un sourire.

– Bien plus qu'à Cotton Mather, pour l'instant. Au fait, merci de m'avoir aidé à y entrer.

– Tu y es entré tout seul, dit-il. J'ai juste donné un petit coup de pouce pour accélérer le processus. Est-ce que nous pouvons te déposer chez toi, Ileana et moi ?

– Bien sûr, merci.

Il neigeait de nouveau quand nous partîmes. De gros flocons duveteux scintillaient dans les arbres et recouvraient le sol d'un glaçage immaculé. Aucun doute, j'étais amoureux d'Ileana, et le paysage me parut soudain beaucoup plus beau. J'éprouvai un sentiment étrange, mêlé tout à la fois de frayeur et de bonheur. J'étais heureux de porter sa marque. J'avais l'impression qu'elle avait paré la nuit de beauté, comme si elle avait fait tomber les gros flocons de neige elle-même. Peut-être en était-elle capable ? C'était une vampire après tout.

Assise à mes côtés sur la banquette arrière, elle contemplait la neige sans dire un mot. Se doutait-elle de mes sentiments ? Avait-elle dit à son père qu'elle m'avait marqué ?

M. Antonescu discuta avec moi pendant toute la durée du trajet, et je pus lui parler abondamment du lycée tout en pensant à Ileana.

Quand on s'arrêta devant la maison, je m'entendis demander :

– Voulez-vous entrer ?

J'étais fier de ne pas avoir oublié cette marque de courtoisie, mais M. Antonescu déclina l'invitation :

– Je te remercie, fit-il, mais je ne voudrais pas déranger tes parents à une heure aussi tardive. Bonne nuit, Cody. Très heureux de t'avoir rencontré.

– Bonne nuit, dit Ileana. N'hésite pas à m'appeler si tu veux entendre d'autres histoires d'Illyria.

– Je n'y manquerai pas, répondis-je.

Maman et Papa regardaient un DVD. Encore un de leurs vieux films en noir et blanc favoris.

– En voilà une surprise ! lança Maman. C'est gentil de ta part de nous accorder un peu de ton temps.

– C'était bien ? demanda Papa.

– Je ne me suis jamais autant amusé, répondis-je. M. Antonescu m'a raccompagné.

– Très sympa de la part de Hamilton, fit Papa.

– Est-ce que tu l'as invité à entrer ? interrogea Maman.

– Évidemment, répliquai-je. Je ne suis pas idiot.

– Bien sûr que non, affirma Maman. Tu es un vrai, noble et parfait chevalier.

– Un quoi ? m'exclamai-je.

Papa mit le DVD sur pause.

– Les amours de M. Bogart et Mme Bacall vont rester un petit moment en suspens, fit-il. Le temps que tu lui expliques, Beth.

– Le vrai, noble et parfait chevalier est l'un des personnages des *Contes de Canterbury*, de Geoffrey Chaucer. Il s'agit d'un recueil d'histoires relatées par des voyageurs qui se rendent ensemble à la cathédrale de Canterbury. Chacun doit raconter deux histoires à l'aller et deux au retour.

– C'est un peu comme une épopée ? demandai-je.

– Plus ou moins, dit-elle.

– Est-ce qu'on a le livre ?

– On en a même deux, fit Papa. La traduction en anglais moderne et la version originale, en ancien anglais.

– Nous avons acheté la traduction afin que ton père puisse comprendre, dit Maman. Mais elle n'a pas la richesse poétique de l'original.

Elle déclama dans la langue de Chaucer et je lus la version moderne, qui ne me sembla pas tellement plus compréhensible que l'original.

Quand Avril, de ses averses très douces,
A percé jusqu'à la racine la sécheresse de Mars
Et baigné toute veine de son baume liquide
Dont la puissance donne naissance à la fleur;
Quand Zéphir à son tour, de sa douce haleine,
A inspiré la vie aux tendres pousses
Des landes et des bois et que le jeune soleil
N'a couru que la moitié du signe du Bélier,
Que les oiselets chantent leur mélodie
N'ayant fermé l'œil de toute la nuit
Tant la nature met leur cœur en émoi,
Alors les gens désirent prendre la route
Et visiter en pèlerins des pays étrangers… [1]

– Où et pourquoi as-tu appris ça? m'étonnai-je.

– Pendant mes études, répondit-elle en haussant les épaules.

Un gros livre de plus de trois cents pages… Maman n'avait pas fini de m'étonner. C'était sidérant.

– Tu peux le réciter en entier?

– Uniquement le prologue, dit-elle. Nous avons tous été obligés de l'apprendre par cœur.

Je n'en revenais pas. Non seulement ma mère pouvait réciter de la poésie ancienne, mais mon père avait lu la

1. Note de la traductrice : la citation est extraite de la nouvelle traduction d'André Crépin, Gallimard, «Folio classique», 2000.

version moderne. De plus, Geoffrey Chaucer avait trouvé le moyen d'écrire le genre de choses que je voulais, moi aussi, produire : une épopée, avec toutes sortes d'aventures.

— Bon, moi aussi, je vais lire ces contes, annonçai-je.

Papa et Maman se regardèrent.

— Voilà trois jours qu'il a changé de lycée, et il prend déjà l'initiative de lire Chaucer, remarqua Papa. Que Dieu bénisse Dracula !

— Et pendant ce temps, ses parents regardent de vieux films qui n'étaient déjà pas terribles au départ, lui glissa Maman. Décidément, nous ne sommes plus à la hauteur !

— Bogart et Bacall n'ont jamais fait de mauvais films, objecta Papa. À part un, peut-être, avec de petits défauts.

— Je monte dans ma chambre, dis-je en embarquant les deux éditions des *Contes de Canterbury*.

En posant les livres sur mon bureau, je me sentais l'âme d'un génie. Je projetais d'abord de lire Chaucer, puis de rédiger ma propre épopée qui me permettrait de conquérir le cœur d'Ileana.

Allongé dans mon lit, j'écoutai les flocons de neige tomber dans la douce nuit.

8

Des notes de gadjo

Le lendemain, je me mis au travail après le petit déjeuner.

J'avais posé les deux versions des *Contes de Canterbury* l'une à côté de l'autre, et je les lus ensemble ligne par ligne. Je procédai méthodiquement, en alternant la version moderne et le texte de Chaucer.

Au bout d'une heure, je commençai à en avoir marre. Comme si j'étais en train de courir les pieds plongés dans des seaux remplis de ciment.

Et puis Chaucer n'était pas passionnant. Il avait la manie de présenter chaque conteur. La présentation à elle seule comptait déjà vingt-huit pages qui n'avaient en général ni queue ni tête. Je savais ce qu'était un chevalier, mais que voulaient dire les mots « prieure », « économe » et « régisseur » ? Seul l'amour m'insuffla l'énergie de poursuivre jusqu'à la fin de la première partie. Cette lecture m'occupa toute la matinée.

Quand je me remis au travail après le déjeuner, j'avais déjà quelques idées. Dans mon épopée, il y aurait deux poètes (Anaxandre et Vasco) amoureux de la même princesse. À l'issue d'un concours organisé au château entre les deux prétendants, la princesse épouserait celui qui raconterait les meilleures histoires.

J'étais tellement excité par ma trouvaille que j'eus des difficultés à rester en place pour écrire le début de mon épopée. Maintenant, je n'avais plus qu'à puiser dans les histoires d'Ileana pour faire parler mes personnages.

Sur la feuille de papier où j'avais écrit *Titre:* quelques jours auparavant, j'ajoutai: *L'Illyriade* et, sur la ligne de dessous, j'inscrivis: *par Cody Elliot.*

Débordant d'enthousiasme, je commençai aussitôt à rédiger mon prologue:

Par une belle journée d'un mois d'été
Deux poètes galopent dans les champs de blé
Anaxandre et son compère Vasco
Se rendent tous deux au château
Conter à Ileana moult histoires
D'aventures et de faits de gloire.
L'épouser serait un privilège
Dont ils rêvent alors que tombe la neige
Hélas, un seul l'enlèvera loin de la tour
Où elle passe chacun de ses jours.
Et comme ils sont amis,
Des combats nenni.
Ils vont rivaliser d'ingéniosité

Pour la distraire et l'amuser
Dans l'espoir qu'elle reconnaîtra ainsi
Celui que son cœur a choisi.

Je comprenais maintenant pourquoi Shadwell aimait tant les épopées. Je venais de remplir presque toute une page. Bien sûr, il y aurait quelques changements à apporter. La princesse ne pouvait pas s'appeler Ileana, mais ce n'était pas très difficile à arranger, ça. Le plus dur, c'était le problème de la neige en plein été. Mais il était hors de question de m'arrêter alors que j'étais si bien inspiré…

Le lundi matin, j'étais plutôt satisfait de moi : l'épopée comptait dix pages, et mes devoirs étaient tous commencés. Je me demandais quelles notes j'allais obtenir à ceux de la semaine précédente. Il y avait surtout deux choses que j'attendais avec impatience : retrouver Ileana et Justin, et retourner à la piscine. Ma vie n'était peut-être pas facile, mais elle commençait à devenir intéressante.

Quelques minutes avant que Maman me conduise au lycée, on entendit frapper. Derrière la porte se tenait un chauffeur en uniforme.

– Maître Cody ? demanda-t-il d'une voix douce.

Maman portait son vieux jogging, et le chauffeur était vêtu comme un général allemand. Elle le regarda bouche bée. C'était la première fois qu'elle voyait un jenti de près… et quel spécimen ! Avec son allure d'échalas au visage long et pâle, il ne risquait pas de passer inaperçu.

– Euh… oui. Il habite ici, bredouilla-t-elle.

– J'y vais, Maman, m'écriai-je en me faufilant derrière elle.

Je me retournai au moment où le chauffeur m'ouvrait la porte. Maman me souriait en me faisant signe de la main, mais je voyais bien qu'elle avait encore l'air abasourdi.

– Au revoir ! lançai-je en agitant la main moi aussi, amusé par sa stupeur.

Pendant une seconde environ…

Quatre garçons plus âgés que moi étaient déjà dans la voiture, en train de boire du café provenant d'un petit percolateur fixé à l'arrière.

Ils me regardèrent de la tête aux pieds et se remirent à discuter de je ne sais quoi dans je ne sais quelle langue, dont les sonorités rappelaient tantôt le broyage de pierres, tantôt le ruissellement d'une cascade. Mes oreilles identifièrent deux mots qui revenaient de temps à autre : « gadjo » et « stoker ».

– Au cas où quelqu'un parlerait anglais ici, je ne suis pas un stoker, dis-je.

Ils me regardèrent tous les quatre d'un air impassible et reprirent leur discussion, sans toutefois utiliser les deux termes en question.

À l'arrivée, Mme Prentiss m'attendait derrière les grandes portes dorées.

– Maître Cody, fit-elle avec un sourire. Suivez-moi, je vous prie. Le directeur a deux mots à vous dire.

– Qu'est-ce que j'ai fait ?

– Ne vous inquiétez pas, maître Cody.

Cette fois, elle sourit de toutes ses dents et me guida fermement vers le bureau. Elle avait de très longs ongles vernis de rouge écarlate.

Horvath était assis devant la cheminée. Tous les professeurs avaient les yeux fixés sur la porte. Charon, la queue enroulée autour de ses pattes, leva la tête. Il y avait un siège libre entre lui et Horvath.

– Maître Cody, entrez, je vous en prie, fit Horvath en se levant pour me serrer la main. Asseyez-vous.

Je pris place entre le directeur et son loup.

– Maître Cody, continua Horvath. Vous vous rappelez sans doute qu'à votre arrivée, je vous ai prévenu que nos habitudes risquaient de vous surprendre. Et je vous ai suggéré de ne pas hésiter à me consulter, si vous aviez des questions.

– Ouais. Enfin… oui.

La lueur des flammes projetait toutes sortes d'ombres sur les murs du bureau, et Mach, Vukovitch, Gibbon et Shadwell m'apparurent soudain comme des fantômes ou des monstres en mouvement. Quant à Charon, il avait l'air d'un diable.

– Eh bien, je regrette que vous ne l'ayez pas fait, annonça Horvath en se penchant vers moi. D'après ce que j'ai pu entendre, vous avez reçu des informations susceptibles de vous conduire sur un mauvais chemin. C'est justement ce que nous voulons éviter, et c'est pour cette raison que nous sommes réunis ici.

Je promenai mon regard sur leurs visages. Ils me souriaient tous, sauf Charon.

– Veuillez commencer, monsieur Mach, intima Horvath.

Mach sortit mon devoir de la poche de son manteau.

– Ce qui me préoccupe, c'est le petit mot que vous avez écrit en bas de la feuille, commenta-t-il. Vous semblez croire que vous aurez automatiquement de très bonnes notes dans mon cours.

– Oui, en effet, répondis-je.

– Je vois, mais ce n'est pas aussi simple que ça.

– Si je peux me permettre… intervint M. Horvath. Ici, nous notons l'élève globalement, maître Cody. Contrairement aux autres établissements où l'on note les devoirs sans prendre en compte la personnalité de l'étudiant.

– Mais est-ce que vous notez les gadjos de la même façon que les jentis ? demandai-je.

Horvath fronça les sourcils.

– Nous n'employons jamais ces termes ici, répondit-il. Ils nous sont inutiles puisque, comme je viens de vous le dire, chaque élève est traité comme un individu à part entière.

– Alors, si un jenti avait rendu mon devoir de maths, quelle aurait été sa note ?

– La note qu'il méritait, eu égard à son implication dans le travail et à ses résultats précédents, répondit Mach.

– Quelle note ai-je obtenue ?

– 19, annonça Mach. Je pense que votre travail est tout à fait prometteur.

– Et en sciences ? lançai-je à l'attention de Mme Vukovitch.

– Dix-neuf et demi, ronronna-t-elle. Après tout, vous avez bien raison. Personne ne sait exactement ce qui se passera lorsque Bételgeuse se sera transformée en supernova. C'est la seule note que je pouvais vous mettre.

– Et en histoire-géo ? demandai-je à Gibbon.

– 20 sur 20, fit-il. Non seulement vous avez fait ce qui était demandé, mais vous avez fourni la meilleure tranche de bœuf séché que j'aie jamais mangé de toute ma vie. Merci.

Je me tournai vers le dernier professeur.

– Vous savez, monsieur Shadwell, puisque vous aimez tant les épopées, je suis en train d'en écrire une. J'ai rempli dix pages ce week-end et je parie que, d'ici le mois de juin, j'en aurai quatre cents.

– Je suis sûr que, quoi que vous fassiez, ce sera tout à fait convenable, assura-t-il. Ne vous surmenez surtout pas.

– Attendez ! m'écriai-je. Mercredi dernier, vous nous avez parlé de quatre cents pages d'ici la fin de l'année !

– Oui, *grosso modo*, fit Shadwell. Mais il est tout à fait possible que les dix pages que vous avez déjà écrites soient suffisantes. Les plaisanteries les plus courtes sont toujours les meilleures. C'est la qualité qui compte, et non la quantité.

– Chaque élève contribue d'une façon éminemment précieuse à Vlad Drac, insista Horvath. C'est pourquoi vous êtes là. Nous devons tenir compte du fait que vous n'avez pas effectué toute votre scolarité chez nous. Ce qui d'ailleurs ne vous empêche pas d'être doué dans des domaines où il nous faut de bons éléments. Comme dans les sports aquatiques, par exemple.

– Mais vous n'avez même pas une équipe digne de ce nom ! m'exclamai-je. Pas un seul gars qui ait envie de mettre l'orteil dans l'eau. Et en prime, un entraîneur scotché à ses canettes de bière.

Tout le monde se mit à rire, à l'exception de Charon.

– Je ne partage pas cet avis, me rétorqua Horvath. Nous disposons de tout ce dont une équipe a besoin : les uniformes, le nom, le natatorium. Quant à M. Krofresh, il est devenu une institution ici. Sans doute ne l'avez-vous pas vu dans ses bons jours.

– Vous êtes en train de me dire que ce lycée est avant tout pour les jentis. Quant aux gadjos qui veulent bien se mouiller pour vous, vous vous fichez pas mal de leurs résultats.

– Je suis en train de vous dire, reprit Horvath en posant la main sur ma jambe et en appuyant légèrement, que vos notes sont l'affaire de vos professeurs et qu'ils s'inquiètent à votre sujet. Comme nous tous ici.

Il se leva, suivi de tous les autres, qui avaient tous retrouvé le sourire. Charon quitta le cercle et s'allongea.

J'étais tellement furieux que je pus à peine parler. Je ne supporte pas que l'on me mente. Ça me rend dingue. Et j'étais là, dans un bureau où tout le monde, sauf le loup, mentait comme un arracheur de dents.

Horvath me serra de nouveau la main.

– J'espère que tout est clair pour vous maintenant, dit-il. Venez discuter avec moi quand vous le souhaitez. Et n'oubliez pas, maître Cody. Vlad Drac n'est pas un établissement ordinaire.

Pour la première fois, il ne mentait pas.

Ne me demandez surtout pas ce que nous avons étudié ce jour-là en maths ou en histoire-géo. J'étais bien trop énervé pour écouter. En sport, j'ai continué à sauter alors qu'on était déjà passés à un autre exercice.

À l'heure du déjeuner, Justin et Brian Blatt étaient déjà installés à table, en s'ignorant mutuellement, mais, à mon arrivée, Brian leva le nez de son assiette et s'écria :

– Quoi de neuf, stoker ?

La goutte qui fit déborder le vase…

– Écoute-moi bien, tronche de cake ! explosai-je. Ne me traite plus de stoker si tu ne veux pas finir ton assiette avec des dents en moins.

Brian se leva en glapissant une obscénité.

– À ta place, je lui ferais des excuses, lui conseilla cal- mement Justin.

– Et tu vas me forcer, peut-être ! répliqua Brian.

– Si j'étais obligé, je pourrais le faire, rétorqua Justin. Qu'est-ce que tu imagines !

– Ah, je suis mort de trouille ! fit Brian, avant de quitter la table sans finir son assiette, oubliant même de faucher du pain.

Dès qu'il s'en alla, Justin me glissa :

– C'est la première fois que je te vois te conduire comme un gadjo.

– Quand on te traite comme un gadjo, tu commences à te conduire en gadjo, râlai-je.

– Que se passe-t-il ? fit Justin. Depuis ce matin, tu as l'air furieux.

– Tu aurais quelle note si tu rendais un truc comme ça ? fis-je, en brandissant le devoir de maths que je venais de sortir de mon sac à dos.

Justin examina attentivement mon devoir.

– Un zéro, je suppose, dit-il.

– Tu peux me montrer ton devoir ? lui demandai-je.

Il sortit sa copie de maths, couverte d'équations. Sur certaines pages, il avait même tracé des portées de musique, sans doute pour prouver ses arguments. Le prof avait inscrit toutes sortes de commentaires sur son devoir. Sa note figurait en bas : 17 sur 20.

– Justin, vous êtes différents de nous. Vous avez plus de force, vous êtes capables de voler et même de changer d'apparence. Êtes-vous également plus intelligents ?

Il garda un moment le silence, le temps de réfléchir à ma question.

– Je ne crois pas, dit-il finalement. Comme les professeurs sont plus exigeants avec nous, nous travaillons davantage, tout simplement.

Ileana vint s'asseoir à la table.

– Tu es resté longtemps dans le bureau de Horvath, remarqua-t-elle.

Je lui racontai ce qui s'était passé et lui montrai mes devoirs.

– C'est un travail de niveau CE2, constata-t-elle. Tu as donc environ six années de retard sur nous dans tes études. Tu as pas mal de chemin à faire, mais je suis sûre que tu peux y arriver.

– CE2 ? Je suis mort !

En arrivant à l'entraînement de water-polo, je vis Krofresh debout près du plongeoir.

– Vous avez un match demain, bande de nuls ! annonça-t-il. Ça veut dire deux choses. Premièrement, quand on jouera demain contre St Biddulph, je tiens à ce que vous respectiez un minimum de règles afin de sauver les apparences. Que personne ne s'amuse à faire la planche ou ne sorte de la piscine avant la fin. Deuxièmement, vous devez avoir votre bonnet de bain sur la tête, même si ça vous donne un air débile. Vous paraissez débiles de toute façon. Troisièmement, l'équipe de réserve sera là. Évitez-les. Quatrièmement…

Krofresh se tut un moment, le regard fixe. Il plissa le front comme une serviette mouillée.

– Quatrièmement, reprit-il finalement, n'oubliez pas ce que je viens de vous dire.

Il opéra un demi-tour sur lui-même et repartit dans son bureau.

Dès son départ, tous les autres sortirent de la piscine. Seul dans l'eau, je me mis à nager longueur après longueur, les yeux fermés.

On n'entendait plus un bruit, si ce n'est le clapotis de mes mouvements dans l'eau. Cette agréable sensation de chaleur qui me revenait me fit oublier l'endroit où je me trouvais. Je n'étais plus dans le Massachusetts mais dans l'ici et maintenant.

Jusqu'à ce que je rouvre les yeux.

Charon était assis au bord de la piscine. Il me regardait de ses grands yeux ambrés.

– Il me semble que Krofresh est à son poste, dis-je. À ta place, je jetterais un coup d'œil sous le bureau.

Charon ne fit pas un mouvement.

– Ah, tu es venu me voir, sans doute ? demandai-je.

Charon se leva.

– D'accord. Un instant, s'il te plaît. Est-ce que Horvath veut encore me voir ? fis-je en montant sur le rebord de la piscine.

Le quadrupède remua la queue au ras du sol.

– Ça, ça veut dire non. Pas vrai ?

Coup de queue en l'air.

– Bon, qu'est-ce que tu veux alors ?

En guise de réponse, il vint droit sur moi. Je reculai d'un pas, et il se rapprocha.

Que voulait-il ? M'attaquer pour avoir tenu tête à Horvath ? Je fis un pas en arrière, et lui, un pas en avant.

– C'est au sujet de mes notes ?

Il remua bien haut la queue.

– Écoute, commençai-je. Attends…

Charon se mit debout sur ses pattes arrière et posa ses énormes pattes avant sur mes épaules avec tant de force que je faillis chanceler.

Il pencha la tête et me donna un grand coup de langue sur la figure, avant de se remettre sur ses quatre pattes et de trotter en direction de la porte. Sans un regard en arrière.

9

Les règles du jeu

Le lendemain était un mardi : jour de match pour les Empaleurs. Puisque nous ne nous étions jamais entraînés et que j'ignorais tout des règles, j'étais assez curieux de voir comment ça allait se passer.

À 14 h 30, un petit bus, affichant *École épiscopale de St Biddulph*, arriva près du natatorium.

Quinze personnes en sortirent. Deux hommes, des entraîneurs certainement, et treize garçons. Ils se dirigèrent en rang vers le natatorium, un peu comme des militaires, et entrèrent dans les vestiaires. Presque aussi silencieusement que des jentis.

Y avait-il des supporters parmi eux ? Je ne le pensais pas, car tous portaient les sacs de sport des « Saints de St Biddulph ». Pourquoi étaient-ils si nombreux ?

Je suivis les Saints jusqu'au natatorium.

La piscine avait été préparée pour le jeu. Des cages flottaient à chaque extrémité à l'endroit prévu pour les buts, et une ligne délimitait le camp de chaque équipe. Quatre hommes, équipés de sifflets et de petits drapeaux, se tenaient à une table installée au bord, deux autres sur le côté, et un à chaque coin de la piscine. Tout cela semblait très officiel.

Krofresh, une canette de bière à la main, arpentait les vestiaires, l'air plus furieux que jamais.

Louis Lapierre le vit arriver.

– Entraîneur, cria-t-il, on n'est pas obligés de se mouiller dans ce jeu, si ?

Krofresh écrasa sa canette dans la main et reçut une giclée de bière sur le pied. Dans chaque équipe, tout le monde éclata de rire.

– Bande de nuls, vous n'êtes que des nuls ! aboya Krofresh en s'éloignant.

Jason Barzini essaya le petit bonnet de bain de caoutchouc bleu que nous devions porter.

– Pas mal, Barzini ! m'exclamai-je. Tu es mignon comme tout avec ça.

– Je te conseille de la fermer, stoker, si tu veux pas crever, répliqua Barzini.

– Allez Barzini, lança Brian Blatt. Magne-toi de sortir avant que les mauviettes s'amènent.

Sur ce, emboîtant le pas aux autres Empaleurs, ils quittèrent les vestiaires.

Je regardai mon bonnet de bain réversible, bleu à l'intérieur, blanc à l'extérieur, et le mis côté bleu. Autour de moi, les gars de St Biddulph se changèrent rapidement et sans un bruit.

– Pourquoi êtes-vous si nombreux ? leur demandai-je.

Personne ne répondit.

– Alors, vous êtes les Saints, hein ? continuai-je.

Toujours pas de réponse. Ils filèrent aussitôt, coiffés de leur bonnet blanc. Sans un regard pour moi.

Lorsque je sortis des vestiaires, les Empaleurs chahutaient dans le grand bain. En comptant les gars de l'équipe de St Biddulph, sept dans l'eau, six assis sur un banc le long du mur, je compris immédiatement ce qui clochait. Ils avaient prévu leurs remplaçants, et nous, non. On se faisait avoir…

Des jentis arrivèrent alors à la queue leu leu. À mon grand étonnement, ils étaient tous en maillot de bain. Ah, ah ! Je saisis alors la manœuvre. Comme notre équipe manquait de gadjos, Horvath avait désigné six jentis en remplacement. Ainsi, l'équipe semblait au complet et tout avait l'air normal. Sauf que les remplaçants n'étaient pas fichus de mettre un doigt de pied dans l'eau.

En tête venait Grégor, suivi de Vladimir, d'Ilie, de Constantin et de quelqu'un que je ne connaissais pas. Tous grands, pâles, avec le même air féroce. Justin arrivait en dernier, comme le point à la fin d'une phrase.

– Salut, vieux ! appelai-je.

– Salut, répondit Justin.

Les jentis s'installèrent sur leur banc. Les joueurs de St Biddulph affichaient la plus complète indifférence et, à part moi, tous ceux de notre équipe se moquèrent d'eux.

En sortant de la piscine pour parler à Justin, je fis attention à ne pas le mouiller.

– Je ne savais pas que vous faisiez partie de l'équipe, dis-je.

– C'est Horvath qui nous a demandé de venir, juste pour aujourd'hui.

– Mais vous n'allez jamais dans l'eau, vous autres ?

– Bien sûr que non, répondit Justin. C'est impossible.

Horvath était-il au courant de la bagarre de la semaine passée ? Je me demandai s'il avait fait exprès de mettre Justin et Grégor ensemble. Si tel était le cas, c'était une farce de mauvais goût.

– Ce Horvath, si je pouvais, je l'écraserais comme une punaise, dis-je. Quel faux-jeton !

– Tu ne serais pas le seul, fit Justin en haussant les épaules. Mais on n'y peut rien.

– On se voit après le match ?

– Peut-être, répondit Justin.

Les autres jentis n'eurent pas un regard pour moi. Ils regardaient droit devant eux, sans dire un mot. À les voir ainsi, le dos encore plus raide que d'habitude, je compris qu'ils avaient peur.

Les juges étaient prêts maintenant, avec leurs petits drapeaux. En m'approchant de la piscine, je vis Brian Blatt et Jason Barzini qui se tapaient dessus. Louis Lapierre flottait, le visage dans l'eau, comme s'il était mort. Debout sur le plongeoir, Milton Falbo se prenait pour un phoque et battait des mains. Quant à Kenny Tracy, il se démenait comme un forcené pour essayer d'asperger les jentis. Peter Pyrek, accroché au bord de la piscine, n'arrêtait pas de les narguer en clamant:

– L'eau est bonne, l'eau est bonne!

Quelque chose me disait qu'on n'allait pas très bien se débrouiller contre St Biddulph.

Un arbitre siffla et jeta le ballon au milieu de la piscine. Les gars de St Biddulph nagèrent immédiatement vers le ballon et l'un d'eux le lança vers nous. Juste devant Lapierre.

Louis regarda le ballon sous toutes les coutures comme s'il venait de débarquer d'une autre planète.

– C'est quoi ce truc-là? glapit-il.

Tous les autres se rassemblèrent autour de lui et hochèrent la tête.

– Aucune idée. Je n'ai jamais rien vu de pareil, fit Kenny Tracy.

– Blatt, tu prends le ballon et tu le relances! beugla Krofresh.

– Hein? Ce machin! s'exclama Brian.

Puis il s'adressa à nous:

– Apparemment, c'est un ballon!

– Il doit savoir. C'est quand même l'entraîneur, rétorqua Milton Falbo.

– Il veut que tu le renvoies aux autres là-bas, fit Peter Pyrek.

– C'est sûrement à eux, conclut Brian.

Il prit le ballon à deux mains, sortit de la piscine et marcha vers l'autre côté.

– Quelqu'un a perdu ça ? demanda-t-il aux gars de St Biddulph.

– Blatt, tu retournes dans la flotte ! mugit Krofresh, qui semblait prêt à taper sur Brian.

– Oh, bien sûr, fit Brian en se jetant dans l'eau du côté de l'équipe opposée.

– Pas dans cette flotte-là ! hurla Krofresh. Elle est là-bas, ta flotte à toi, là-bas !

– Elle m'a l'air pareille que l'autre, entraîneur, fit Brian, en revenant de notre côté.

Dans l'autre équipe, quelqu'un lança le ballon vers nous.

– Oh, c'est dangereux, ce jeu ! fit Louis Lapierre, éclaboussé.

– Ouais, il aurait pu se faire tuer ! cria Kenny Tracy.

– Moi, je sors d'ici, continua Peter Pyrek.

Il plongea sous l'eau et ressortit du côté de St Biddulph.

– Pyrek, tu rappliques de ton côté à toi ! cria Krofresh.

– Mais ils n'arrêtent pas de nous lancer des trucs, entraîneur, fit Pyrek.

Puis il supplia les gars de St Biddulph :

– Je vous en prie, laissez-moi faire partie de votre équipe. Regardez, j'ai le même bonnet que vous !

Il retourna son bonnet, côté blanc à l'extérieur.

– Hé, les mecs, le mien aussi est blanc à l'intérieur ! fit la voix de Brian Blatt.

– Exactement comme le mien, dit Milton Falbo.

– Et le mien, renchérit Kenny Tracy.

– Wouaoh ! Le mien aussi, s'extasia Louis Lapierre.

Jason Barzini demeura silencieux, se contentant de retourner son bonnet. Au signal de Brian, ils plongèrent tous en direction de l'équipe de St Biddulph.

Les arbitres donnèrent quelques coups de sifflet et le jeu s'arrêta. Arbitres et entraîneurs se regroupèrent pour se consulter sur la suite du match. J'entendis la voix de Krofresh chuchoter sans arrêt des « pas question », « pénalités », et « fautes ». Sans oublier, bien sûr, « bande de nuls ».

Finalement, après une minute ou deux, les arbitres décidèrent de sanctionner tous les Empaleurs, sauf moi. Tous les sanctionnés se dirigèrent alors vers le banc des jentis.

– Excusez-nous, mais c'est à notre tour de nous asseoir, déclara Brian Blatt à Justin.

– Ouais, les remplaçants à la flotte ! gloussa Peter Pyrek.

Sur le banc, tout le monde, à l'exception de Justin, avait les yeux braqués sur Grégor, qui regardait droit devant lui.

– Les remplaçants à la flotte, les remplaçants à la flotte ! criaient Pyrek et Blatt.

Grégor se tourna finalement vers Ilie.

– Tu as entendu quelque chose ? lui demanda-t-il.

– Oui, répondit Ilie. Il me semble avoir entendu deux alouettes chanter. Elles annoncent sûrement la venue du printemps.

– Des alouettes, fit Grégor en fermant les yeux. Un très joli chant, n'est-ce pas ?

Il souriait, et tous les jentis fermèrent les yeux en souriant, eux aussi. Tous sauf Justin, dont le regard se fixait tantôt sur la piscine, tantôt sur moi.

Suivirent trente-cinq secondes qui me parurent interminables. Les Saints s'amusèrent à se renvoyer deux ou trois fois le ballon avant de l'expédier au-dessus de ma tête. À peine était-il relancé qu'ils le balançaient de mon côté. J'allais à chaque fois le récupérer à la nage et, franchement, je commençais à me sentir mal.

Puis les arbitres sifflèrent la fin du penalty et les Empaleurs retournèrent à l'eau. Le ballon revint une fois de plus droit sur moi et, d'un coup de poing, je l'expédiai au-delà de la ligne.

Juges et arbitres se mirent immédiatement à siffler.

– Penalty. Trente-cinq secondes.

– Moi ! Qu'est-ce que j'ai fait ? m'écriai-je à l'intention des juges.

– T'as smashé la balle, stoker, fit Barzini.

– Bordel de merde ! Personne ne m'avait dit ! explosai-je.

Et re-coups de sifflet.

– Penalty. Trente-cinq secondes.

– Quelle grossièreté, mec! fit Brian en secouant la tête. Je suis choqué.

Je sortis de la piscine et m'assis près de Justin.

– Ils sont tous cinglés ici ou quoi? dis-je.

– Plus ou moins, je suppose, répondit-il.

Pendant ce temps, les autres Empaleurs criaient:

– Gros mot! On ne veut pas être dans l'équipe d'un type qui dit des gros mots. Tu nous as choqués, mec, continuèrent-ils à mon adresse, les mains sur les oreilles.

Quelqu'un dut donner un signal, car ils plongèrent tous en même temps et se retrouvèrent de nouveau de l'autre côté de la ligne.

– Hé, on a toujours envie d'être dans votre équipe! lança Peter Pyrek.

– Ouais, vous au moins, vous n'allez pas nous scandaliser, si? continua Kenny Tracy.

– Sois pas bête, Tracy, s'écria Brian Blatt. Ces gars-là vont dans une école de saints.

– Ah, bien sûr, fit Tracy. J'avais oublié.

Les Saints se réjouissaient-ils d'avoir de nouveaux coéquipiers? Ils ne le montrèrent pas. L'air inquiet, ils n'arrêtaient pas de lorgner les jentis assis sur le banc.

Pendant ce temps, Krofresh arpentait le bord de la piscine, en beuglant:

– Ne vous flanquez pas dans cette flotte, bande de nuls! Allez là-bas, dans votre coin.

– On n'aime pas cette flotte-là, répondit Louis Lapierre. Elle pue la grossièreté à plein nez.

À la fin des soixante-dix secondes, je pus retourner dans le scandale, je veux dire dans l'eau.

Un des gars de St Biddulph me lança une balle en hauteur, pas très rapide. Je la frappai, et elle me revint encore et encore. Après quelques passes de ce genre, je compris la manœuvre. Ils visaient toujours dans ma direction pour sauver les apparences. Comme s'il s'agissait d'un véritable match.

Quant aux Empaleurs, ils acclamaient la balle à chaque fois qu'elle venait vers eux, mais ils se gardaient bien d'y toucher. Les gars de St Biddulph jouaient comme s'ils n'étaient pas là.

Et moi, je me crevais à la tâche, m'efforçant de nager et de frapper la balle à chaque fois. Je fus presque content lorsque Jason Barzini se réveilla soudain et expédia la balle dans notre but avant même que l'équipe adverse ait eu le temps de la toucher.

Les drapeaux se levèrent instantanément, et les juges déclarèrent la fin du match : 1-0 pour St Biddulph.

Tous les joueurs sortirent de l'eau, sauf moi. Je nageai jusqu'au bord de la piscine et restai un moment agrippé au mur, essayant de retrouver mon souffle et mon calme. Ces soi-disant adultes commençaient à m'énerver sérieusement. Qu'attendaient-ils donc pour faire respecter les règles qu'ils avaient établies ? Je ne comprenais plus rien, mais j'étais sûr d'une chose : le jeu était loin d'être fini.

Les joueurs se dirigèrent peu à peu vers les vestiaires. Krofresh et l'entraîneur de St Biddulph se serrèrent la main, juges et arbitres ramassèrent leurs affaires le plus naturellement du monde. Comme s'il n'y avait pas eu de magouille.

En haut des gradins, j'aperçus Horvath, un sourire cynique au coin des lèvres. Charon était assis auprès de lui. Il avait l'air dégoûté – dans la mesure où les loups peuvent avoir l'air dégoûté.

Les jentis ne quittaient pas le banc. Ils attendaient que les gadjos libèrent les vestiaires. Quant à moi, je n'étais pas encore prêt à partir. Je voulais noyer dans la piscine ma gêne et ma contrariété. Aussi, malgré la fatigue, je me mis à nager lentement sur le dos, les yeux fermés, me laissant porter par l'eau.

Plus de bonnet de bain. J'avais arraché ce truc idiot au moment où j'avais ouvert les yeux, après avoir buté contre la paroi de la piscine.

Les Saints s'apprêtaient sans doute à grimper dans leur bus, et les Empaleurs sortaient des vestiaires. Je les entendis se donner de grandes claques sur les fesses et se taper sur les mains en signe de victoire.

Au signal de Grégor, tous les jentis se levèrent pour regagner les vestiaires. Tous, sauf Justin qui s'approcha de moi.

– Bon, c'était ton premier match, dit-il.

– Quel est votre problème avec l'eau ? demandai-je. Vous prenez des bains, après tout.

– Allons dans un endroit plus sec, et je t'expliquerai.

Il recula pour me laisser sortir de la piscine. Je m'égouttai un peu et nous marchâmes vers les vestiaires.

Les jentis s'habillèrent et sortirent à la vitesse grand V. Grégor me regarda.

– Il n'y a que dans l'eau que tu es en sécurité, lâcha-t-il.

– Il est marqué, lui rappela Justin.

– C'est à toi que je m'adressais, rétorqua Grégor.

Il boutonna sa chemise et, voyant qu'il jouait les malabars, j'eus soudain l'idée de lui rafraîchir la joue avec quelques gouttes d'eau recueillies dans mes cheveux mouillés.

– Bon match, Grégor, dis-je, alors qu'il se dépêchait d'essuyer son visage. Vivement le prochain ! Ah, il est temps que j'essore mon maillot de bain, continuai-je.

Grégor recula immédiatement et s'en alla.

– On n'a pas besoin d'ail ni de crucifix, lançai-je, sans réfléchir. Oh, excuse-moi, continuai-je en voyant la tête de Justin. Je ne voulais pas t'offenser.

– Ne t'inquiète pas. Si tu veux savoir, ma mère porte une croix et elle utilise de l'ail quand elle cuisine. Ah, fais gaffe à ton maillot mouillé !

– Oui, oui. Alors, explique-moi pour l'eau, dis-je en me séchant avec une serviette. C'est quoi votre problème ?

Justin poussa un soupir.

– Personne ne sait comment ça marche. Depuis très longtemps, nos médecins, nos biochimistes essaient de comprendre. C'est sans doute lié au fait qu'on est capables de changer d'apparence. L'eau, en trop grande quantité, peut nous dissoudre. Depuis notre plus jeune âge, on a appris à ne pas trop s'en approcher, à faire notre toilette à l'éponge, et tout un tas de trucs pour s'en passer. On a tous grandi dans la peur de l'eau.

– Mais toi, tu ne sais pas changer d'apparence. Peut-être que ce n'est pas dangereux pour toi.

– Vaut mieux pas que j'essaie, répliqua Justin. Mais je reconnais que ça me fait assez envie, la piscine.

– Tu n'as jamais besoin de tremper le bras dans un de tes aquariums, pour le nettoyer ? demandai-je en me souvenant de ses scalaires.

– Si, bien sûr, répondit Justin. Mais je porte toujours des gants de caoutchouc. De toute façon, on ne fond pas au moindre contact avec l'eau. On n'est pas en sucre, tu sais. Mais si on tombe dans un étang, on a intérêt à en sortir vite fait. Sinon, on commence à… se dissoudre. Ça se produit plus vite dans l'eau courante. C'est pourquoi il y a tant de récits de rivières infranchissables ou d'océans que l'on ne peut traverser que dans un cercueil rempli de poussière.

À la sortie du natatorium, nous étions attendus… par les Empaleurs.

– Excuse-nous, fit Brian Blatt en se glissant entre Justin et moi. On a deux mots à lui dire.

Il bloqua le passage à Justin pendant que Jason Barzini m'attrapait par le col. Le reste de l'équipe forma un cercle autour de nous.

– Tu étais mignon comme tout, à jouer tout seul comme ça aujourd'hui, dit Barzini en collant pratiquement son visage au mien. Mais si tu recommences, ça ira mal pour toi.

– Qu'est-ce que vous voulez prouver, bande de nuls ? demandai-je à la manière de Krofresh. Que vous êtes capables de perdre des matchs ? N'importe qui sait faire ça. Pourquoi est-ce que vous n'essayez pas, au moins ?

– Écoute, ces types ont obtenu ce qu'ils voulaient, s'écria Barzini. Grâce à nous, leur lycée de vampires continue à exister. Ils débarquent même de partout pour faire leurs études ici. Et nous autres, nous payons des impôts pour ces zozos. Ils nous acceptent uniquement parce que ça leur permet de garder leur lycée. Alors, fais comme nous, montre que tu n'es pas dupe de leurs magouilles.

– Barzini, les jentis aussi paient des impôts. Tu y as pensé ? C'est grâce à leurs impôts que tu peux être ici.

– Ferme-la, beugla Barzini, en me poussant.

Je glissai sur la glace et m'étalai par terre. Les Empaleurs se mirent à ricaner.

D'un croche-pied, je flanquai Barzini au sol et le retournai sur le dos comme une crêpe. Puis je me levai prestement. Il me traita de tous les noms.

– Si ça ne vous plaît pas ici, pourquoi n'essayez-vous pas une vraie école ? demandai-je. Je suis sûr qu'il doit rester des places en maternelle.

Personne n'essaya de m'arrêter quand je retournai vers Justin.

– Salut, dis-je à Brian.

– T'es mort ! cria la voix de Jason Barzini dans mon dos.

10

L'Illyriade

À la fin du mois de janvier, nous avions joué deux matchs, très semblables au premier. Je fus le seul à essayer de jouer correctement. Dès que l'autre équipe marquait un point, le match était fini. Des jentis venaient s'asseoir sur le banc derrière nous. Jamais les mêmes. Jamais ils ne nous remplaçaient, même lorsque les penalties pleuvaient. Personne ne semblait s'en apercevoir.

Depuis ce fameux jour dans la neige, j'appréhendais un peu la réaction des Empaleurs, mais ils s'étaient contentés de ne plus m'adresser la parole. Ce qui ne me gênait pas trop puisque, de toute façon, ils n'avaient jamais fait d'efforts dans ce domaine. Barzini, je m'en rendis compte, n'était qu'une grande gueule.

Je m'inquiétais davantage à propos de Grégor et de sa bande. Certains jours, j'avais l'impression qu'ils épiaient le moindre de mes mouvements dans le réfectoire ou du haut des escaliers. Pour voir si j'étais encore marqué, peut-être. Mais il ne se passa rien de ce côté non plus.

Les profs continuaient à donner des devoirs plus impossibles les uns que les autres, et j'avais toujours des super-notes bidon, dont je ne tenais pas compte. Je pris l'habitude d'aller travailler chez Justin après les cours. Sans aboutir à des résultats extraordinaires, je dois dire, mais je me débrouillais bien mieux grâce à lui. Je parvenais même à comprendre de temps en temps ce qu'il fallait faire. Je me sentais bien dans la petite pièce du premier étage. Justin l'avait aménagée en salle d'étude, garnie d'étagères et de tout le nécessaire pour travailler. Un immense bureau à l'ancienne occupait presque tout l'espace. On s'y installait face à face pour étudier. Le son du piano nous parvenait du rez-de-chaussée.

Même si nous étions un peu à l'étroit, il y avait toujours de la place pour Ileana lorsqu'elle montait nous voir. Elle prit l'habitude de venir une fois par semaine environ.

Le vendredi était un de mes jours favoris, car nous descendions tous les trois en Illyria. Palmyre était en pleine expansion, et la route qui menait à La Nouvelle-Florence était terminée. Justin continuait à agrandir la banlieue de Trois-Collines. Ileana nous rapporta la dernière dispute entre Anaxandre et Vasco. Ils n'arrivaient pas à se mettre d'accord sur le nombre des actes d'une pièce de théâtre. Pour l'un, il en fallait trois, pour l'autre cinq.

— Quand est-ce que je verrai ton épopée? me demandait-elle chaque fois que nous jouions.

– Quand elle sera terminée, répétais-je. Mais je manque d'idées en ce moment.

Elle répliquait invariablement par un commentaire du genre : « Mais comment peut-on manquer d'idées ? Les idées, c'est ici que ça commence, en Illyria ! » Elle se mettait alors à nous raconter une histoire sur l'un de ses personnages, qui se précisait au fur et à mesure de nos questions ou de nos suggestions, à Justin et à moi. J'ignore si Chaucer procédait de la sorte, mais je dois dire que, pour moi, c'était un bon système.

J'étais heureux d'avoir entrepris cette épopée, car c'était un travail que je pouvais faire seul, sans l'aide de Justin. En fait, je n'étais pas à court d'idées, mais je préférais celles d'Ileana aux miennes. Le soir ou le dimanche, j'écrivais dans ma chambre, et les pages s'ajoutaient les unes aux autres. J'avais bon espoir de dépasser les quatre cents pages, et je ne pouvais m'empêcher d'imaginer la réaction de Shadwell le jour où je lui remettrais mon travail. Est-ce que mon épopée dépasserait en longueur tous les autres récits ? Si oui, qu'allions-nous dire, lui et moi ?

« J'espère que vous apprécierez ce récit, monsieur Shadwell. C'est assez chaucérien. » Ou : « J'ai bien peur d'avoir dépassé les quatre cents pages dans ce devoir. »

Mais j'avais surtout beaucoup de plaisir à imaginer la réaction d'Ileana. Ce que j'espérais le plus, c'est qu'à la lecture de l'épopée, elle comprendrait à quel point elle comptait pour moi.

Je n'étais pas complètement amoureux d'elle. Pas exactement. Je voulais simplement passer le plus de temps possible en sa compagnie, et je commençais à croire qu'elle partageait mon sentiment. Pourtant, rien dans ses paroles ne m'incitait à le penser. C'étaient plutôt ses gestes, même les plus anodins. Elle évitait de se déplacer autour d'Illyria pour que nous soyons toujours l'un en face de l'autre… Elle me laissait pousser ma tasse de chocolat de façon qu'elle effleure la sienne comme par mégarde. À la fin de l'épopée, j'en étais sûr, les choses changeraient.

Puis arriva le 14 février.

Un jour à marquer d'une pierre blanche, comme toutes les autres grandes catastrophes : le tremblement de terre de San Francisco (le 18 avril), le crash du *Hindenburg* (le 6 mai), le grand incendie de Chicago (le 8 octobre). Le 14 février, jour de la Saint-Valentin, je lus un extrait de mon épopée à Ileana.

Je n'en avais pas du tout l'intention, je tenais à attendre qu'elle soit terminée. Mais nous étions tous les trois en Illyria, en train de discuter du cours de Shadwell, entre autres. Justin parlait de son livre sur les scalaires et Ileana, du roman qu'elle avait entrepris.

Puis elle me demanda :

– Et toi, où en es-tu avec ton épopée ?

– J'ai à peu près deux cents pages, dont certaines recto verso. J'ai terminé onze histoires et je commence la douzième.

– J'aimerais beaucoup entendre un extrait, fit-elle.

Ce n'était pas la première fois qu'elle insistait, mais, ce jour-là, j'avais quelques pages dans mon sac. Je les avais tapées sur un des ordinateurs du lycée parce que le mien ne fonctionnait pas bien.

– Je te préviens, ce n'est qu'un brouillon !

– S'il te plaît, supplia-t-elle. Ça fait des semaines que je te raconte des histoires. On ne peut pas entendre une petite partie de ton récit ?

C'est la Saint-Valentin. La fille que j'aime veut que je lui lise mes écrits, dont le thème est… l'amour.

Justin était là, mais ça ne me gênait pas du tout. De toute façon, il serait sans doute présent au moment où je lirais l'épopée. Je décidai qu'il valait mieux céder, finalement. D'ailleurs, peut-être qu'il était temps.

En montant chercher mes pages dans mon sac, un petit détail me revint en mémoire. Comment avais-je pu oublier ça ? J'avais laissé le nom d'Ileana dans mon épopée.

Vite, un nom. Un nom ayant le même rythme que celui d'Ileana, tout en étant différent.

Plusieurs noms me vinrent à l'esprit pendant que je grimpais les escaliers, mais jamais le bon. En descendant, je n'avais plus la moindre idée. J'étais même totalement incapable de penser à des noms ordinaires comme Jane, Cathy ou Jennifer. La peur m'avait ramolli le cerveau.

Arrivé dans la cave, je me dirigeai vers ma ville avec le texte.

– C'est ici, expliquai-je, que mon héroïne demande aux héros de lui raconter une histoire qui leur est arrivée. Il faut que ce soit une histoire vraie.

Ileana replia ses jambes sous elle et se pencha vers moi, le menton appuyé sur la main. Justin s'assit sur une caisse contre le mur.

Un nom ! Il fallait absolument que je trouve un nom !

Puis mon esprit m'en souffla un. Je ne pouvais pas trouver pire ! Mais il était hors de question d'utiliser celui d'Ileana, et j'étais complètement à court d'idées. L'horrible prénom de « Buffy » s'imposa tout naturellement. Il fallut commencer à lire.

Vasco se tourne alors vers Anaxandre,
Qui sourit comme une salamandre
Et lui dit : « Raconte encore une histoire,
Une histoire qui parle de moi,
Et je ferai pareil pour toi. »
À ce désir Anaxandre volontiers se plie.
Et dit à… Buffy : « À sa façon, mon ami
Est un héros, mais jamais il ne te dira
Ce que de ma bouche tu entendras. »

Ileana m'écoutait avec un petit sourire aux lèvres. Je poursuivis ma lecture.

Un jour, Vasco entendit parler d'un bandit à l'épée d'or,

Une rapière qu'il avait volée à un roi mort,
Lequel l'avait perdue sur un champ de bataille.
Vasco décida alors de s'en aller quérir l'épée,
Pour la restituer aux descendants fort navrés
De la perte du royal héritage.
Vasco, en habit de moine, partit en pèlerinage,
Pour trouver incognito le repaire des bandits.
Cavalant cent jours et cent nuits,
Il découvrit enfin la grotte des coquins
Et paya un écu pour dormir chez ces aigrefins,
Même s'il savait qu'il y aurait un combat
Car ils voulaient l'abattre, les scélérats.

Ileana ne souriait plus. Elle fronçait les sourcils, et elle avait maintenant la main posée sur la bouche.

La nuit, alors qu'il feignait d'être endormi,
Les bandits s'approchèrent de son lit.
Un balèze s'apprêtait à lui défoncer le crâne à coups
                                        [de massue :
Vasco esquiva prestement l'attaque et jeta sur la tête
                                        [du malotru
Une couverture qu'il appuya jusqu'à ce que mort
                                        [s'ensuive.
Mais le chef plein de rage sur Vasco jeta l'offensive,
Faillit l'écrabouiller, car c'était un costaud
Pourvu de quelques kilos en trop,

Et appela à la rescousse une vingtaine de sbires.
«Pas question de crever ici, contre ce destin il faut
[réagir»,
Se dit Vasco. Sur ce, il assomma le chef des mécréants,
Réduisant ainsi tous leurs plans à néant.
Le chef, à genoux, gémit : «Vasco, tu m'as tué ! »
Les bandits de se lamenter : «Notre chef va expirer. »
Ils voulurent fuir en tous sens
Pour sauver leur existence.
Terrorisés par Vasco, ils se montrèrent bien sots :
Armé d'une matraque et de l'épée du roi, notre héros
Dans la grotte, l'un après l'autre, les liquida
Puis, dans sa contrée, il s'en retourna.

J'étais sur le point de dire : «Ce n'est que le début»,
quand le rire d'Ileana m'interrompit.

Elle riait, riait sans pouvoir s'arrêter. Elle s'en roulait par
terre et tapait des pieds, comme pour se calmer.

– Pas mal, fit Justin en souriant. Je n'ai pas compris
tout de suite.

– Moi non plus, haleta Ileana. Au départ, je croyais que
tu te moquais d'eux et je commençais à m'énerver. Puis
j'ai compris l'astuce. C'est assez génial que Vasco dise
à son ami d'amuser la princesse avec une histoire idiote,
et qu'Anaxandre la raconte aussi maladroitement.

– J'aime bien quand Vasco fait repousser son bras
de façon à étouffer le bandit, dit Justin.

Flûte ! J'avais oublié qu'il n'avait qu'un bras.

– Il te reste quelque chose à lire ? s'enquit Ileana.

– Euh… non, bredouillai-je.

J'eus l'impression que la terre s'ouvrait sous mes pieds.

– Oh, c'est dommage ! soupira Ileana. Je n'avais jamais imaginé que Vasco et Anaxandre puissent avoir le sens de l'humour. Alors que c'était évident. Tu as ajouté un nouvel élément à l'Illyria : l'ironie.

Je sentis mon visage s'empourprer. Elle pensait que c'était comique. Ce n'était pas comique, c'était une épopée. Mais si elle trouvait ça drôle, et Justin aussi… Je jetai de nouveau un coup d'œil sur mes pages.

– Je ne sais pas si Shadwell a parlé de l'ironie en cours, dis-je en m'efforçant de maîtriser ma voix.

– C'est comme si on disait une chose d'une certaine manière, mais en laissant entendre tout autre chose, dit Justin. Pour rire ou pour se moquer.

L'ironie ? Je n'avais pas du tout eu l'intention de manier l'ironie. Je croyais que c'était bien. Et le pire, c'est que toute l'épopée était rédigée ainsi. Je compris soudain que mon but était complètement impossible, et que je ne réussirais pas à Vlad Drac. J'eus l'impression de tomber dans un puits sans fond.

Ileana se leva et s'approcha de moi.

– Merci de nous avoir lu ton épopée, dit-elle. Ça n'a pas dû être facile.

Et elle me serra dans ses bras l'espace d'un instant.

Oh! là, là!

Imaginez un peu la situation:

1) vous vous rendez compte que vous étiez fier d'un truc carrément naze;

2) on vous félicite par erreur;

3) la fille que vous aviez l'intention d'épater est persuadée qu'il s'agit d'ironie, et elle est très impressionnée.

Je vous souhaite de ne jamais vous trouver dans ce cas.

– La prochaine fois, j'aimerais bien que tu nous lises un des passages sérieux, fit Ileana.

– On verra, répondis-je.

Je n'avais plus envie de parler après ça. Justin et Ileana se demandèrent sûrement pourquoi.

11

Décrocher les étoiles

Le lundi, assis dans le réfectoire avec Justin, je ruminais l'échec de mon épopée. Le temps, une fois de plus, était gris et maussade, à l'image de mon humeur.

Ce qui me rongeait le plus, c'est qu'après avoir entendu mon texte minable, Ileana était maintenant persuadée de mon génie. Si je lui avais demandé de sortir avec moi, elle aurait certainement accepté sans hésiter. Mais comment aurais-je pu agir ainsi en sachant qu'elle dirait oui pour une mauvaise raison?… Elle qui pensait que j'écrivais un excellent – disons un bon – poème à propos de son lieu préféré…

Ileana vint s'asseoir à notre table.

– Je suis en colère contre toi, dit-elle.

– Pourquoi?

– Je t'ai passé un mot pendant le cours de maths, c'est bien la première fois de ma vie que je fais un truc gadjo de ce genre, et tu n'as même pas remarqué.

– Je suis désolé, Ileana. Je suis assez préoccupé en ce moment.

Rien de plus normal puisque je me rends compte que je ne suis pas capable d'écrire de la poésie. Et que je ne sais même pas faire la différence entre des bons et des mauvais poèmes. Le pire, c'est que toi tu m'en crois capable, et que moi j'ai osé imaginer que je l'étais.

– T'inquiète pas, sourit Ileana. J'en ai un autre.

Elle sortit une petite enveloppe dorée de son sac.

– Est-ce que je dois l'ouvrir maintenant ?

– Si tu veux.

Dans l'enveloppe se trouvait une carte de couleur pâle en forme de carré, imprimée dans une police de caractères très chic :

Ileana Antonescu a l'honneur de vous inviter
à la célébration de son quinzième anniversaire,
le 7 mars à 14 heures.
Tenue correcte exigée.

Sans oublier son adresse, son numéro de téléphone et les lettres RSVP.

– Super, je viendrai.

– J'ai hâte, répondit-elle en me souriant. Au fait, et ton épopée, ça avance ?

– Oui, ça avance, répliquai-je, pressé de dévier la conversation sur un autre sujet.

Deux problèmes se posaient maintenant à moi : comment réagirait Ileana si elle se rendait compte à quel point mon texte était débile? Et qu'allais-je bien pouvoir lui acheter pour son anniversaire?

Je demandai à Justin, qui ne me fut d'aucun secours.

– Facile, dit-il avec un sourire. Tu n'as qu'à lui donner un extrait de ton épopée. Rien ne lui ferait plus plaisir.

– Hum… et toi, que vas-tu lui offrir?

– Aucune idée. Quelque chose de pas trop cher.

– Qu'est-ce qu'elle aime? demandai-je. On a tous des trucs qui nous plaisent plus que d'autres.

Justin hocha la tête.

– Elle en a plein, reconnut Justin. Mais, dans l'ensemble, ce ne sont pas véritablement des objets. Elle aime les étoiles. Les nuages, surtout quand ils moutonnent. Les chênes également. Elle m'a dit un jour qu'elle aimait encore plus le chant des mouettes que la musique. Et bien sûr, elle adore la musique!

– Je pourrais peut-être lui acheter quelques CD.

– Si tu veux, fit Justin en haussant les épaules. Mais tu m'as demandé ce qui lui ferait plaisir, et je te l'ai dit.

L'aide de mon père fut aussi précieuse que d'habitude…

– De la monnaie sonnante et trébuchante, suggéra-t-il. Si elle est bien la fille d'Antonescu, elle se précipitera joyeusement sur n'importe quelle pièce de plus de vingt-cinq *cents*.

Ma mère, elle au moins, fit un effort.

– Les livres, c'est une chose qu'une femme apprécie toujours, observa-t-elle. Elle sait que l'homme qui les lui offre l'aime pour son esprit.

– Bonne idée. Sauf qu'Ileana a sans doute déjà lu une bibliothèque entière. C'est effarant de voir tout ce qu'elle connaît.

– Avec un bon livre de poésie, on ne peut pas trop se tromper, insista Maman.

Encore ! Qu'est-ce qu'ils avaient tous à me bassiner avec leur poésie ? Ou plutôt, qu'est-ce qu'*elles* avaient ? Comme je n'avais pas d'autre idée de cadeau, je décidai de suivre les conseils maternels. Elle s'y connaissait sûrement mieux que moi, après tout.

Le week-end suivant, je me rendis donc dans la plus grande librairie du coin. En fait, il n'y en avait que deux en ville. L'une, dont le parking était plein à craquer, appartenait à une grande chaîne de magasins. Un peu plus loin se trouvait un ancien bâtiment de pierre, avec une vitrine tellement sombre qu'on pouvait à peine voir au travers. Une inscription en lettres dorées indiquait : *Librairie Aurari – Livres de qualité. Tout ce dont le lecteur a besoin.*

Inutile de regarder les voitures garées devant le magasin (des modèles anciens et originaux) pour savoir à qui s'adressait cette librairie.

Théoriquement, j'aurais dû aller dans l'autre magasin. C'est sans doute ce que j'aurais fait pour un achat destiné à n'importe qui d'autre. Mais, puisque je voulais offrir un cadeau à Ileana, je décidai d'aller chez Aurari.

La librairie occupait deux niveaux. À l'étage supérieur, constitué d'un balcon circulaire situé à cinq mètres de hauteur, on pouvait voir les clients flâner entre les hauts rayonnages. Des lampes à l'ancienne y diffusaient une douce clarté. Le rez-de-chaussée était moins éclairé. Au milieu de la pièce, les clients pouvaient s'asseoir dans d'immenses fauteuils de cuir.

Le rayon poésie devait bien contenir neuf millions de livres, classés par ordre alphabétique. Tous les ouvrages me semblaient pareillement minces et chers. Je passai une heure à les feuilleter, sans succès. Car même les contenus me semblaient identiques. Je ne savais pas du tout quoi prendre.

Je finis par quitter le coin poésie, dégoûté, et me dirigeai vers les autres rayons. Je découvris toutes sortes d'objets. Des globes, des lampes de lecture, des serre-livres, et même des bonbons emballés dans du papier doré.

Sur une table près de l'entrée, je trouvai une pile de livres à couverture de cuir incrusté de dessins sophistiqués. Certains étaient fermés par de petits cadenas. Un des livres attira mon regard. Il était rouge et décoré de motifs de feuilles. Un très bel objet. Quand je l'ouvris, je vis qu'il contenait uniquement des pages blanches.

Hum ! Au moins je sais qu'elle n'a pas lu celui-là.

Je coulai un regard sur le prix et faillis m'évanouir. Quand je repris mes esprits, je me demandai comment ils pouvaient exiger une telle somme pour un livre qui ne contenait pas un seul mot. Je comptai mon argent et m'aperçus que je pouvais l'acheter, quitte à être fauché pendant une semaine.

– Puis-je vous aider ? fit une voix derrière moi.

Je me retournai et vis un jenti à lunettes, vêtu d'un costume noir.

– Je prendrai juste ceci, dis-je.

– Très bien, lança-t-il d'un ton qui voulait dire : « Bon débarras. »

Puis, levant les yeux vers le premier étage, je me rendis compte que tous les clients avaient braqué leur regard sur moi. Ceux du rez-de-chaussée m'ignoraient complètement.

– Il y a une bonne librairie un peu plus loin, maugréa le jenti à lunettes alors qu'il me rendait la monnaie en puisant dans une petite boîte de bois. Pour vos prochains achats, je vous recommande d'aller chez eux.

– Merci, répondis-je, et je quittai aussitôt le magasin.

Sur le chemin du retour, Ileana occupa toutes mes pensées. Je me demandais ce qu'elle mettrait dans le livre. Ses propres poèmes, peut-être. Ou son journal. Peut-être même un tas de choses à mon sujet.

Mais il y avait un truc qui me chiffonnait à propos de ce livre. Je ne voulais pas l'offrir tel quel. J'avais l'impression qu'il lui manquait quelque chose. Quoi ? Je n'en savais rien.

Sur un pont qui surplombait un petit ruisseau, je m'arrêtai un moment et m'accoudai à la rambarde pour regarder en bas. Presque toute l'eau était encore gelée à l'exception d'un petit filet qui coulait au milieu, comme du sang dans une veine.

Je me souvins de Justin qui avait eu si peur de l'eau vive, le jour où je l'avais rencontré, et j'eus une envie irrésistible de descendre au bord du ruisseau pour y plonger la main. Je n'avais peut-être pas les facultés de raisonnement des jentis, et je n'en saurais sans doute jamais autant qu'eux, mais je pouvais faire des choses qui leur étaient impossibles.

Comme m'accroupir pour glisser sur la glace. Je descendis ainsi la rive en faisant bien attention au livre d'Ileana.

L'eau paraissait heureuse de filer si vite. C'était même sûr, à la réflexion, qu'elle était heureuse. Elle allait quelque part. Contrairement à moi. Elle partait à la rencontre d'une rivière, d'un océan. Qui sait, peut-être que sa course l'emmènerait un jour de l'Atlantique au Pacifique, et qu'elle finirait sur la côte californienne. Tandis que moi…

Je plongeai la main dans l'eau et l'y laissai jusqu'à ce qu'elle soit engourdie par le froid. Ensuite, mes pas me portèrent le long de la rive.

Le ruisseau suivait une courbe et finissait en cascade un peu plus loin. Au pied de la chute s'était formé un bassin presque entièrement gelé. Sauf à un endroit où l'eau continuait à s'écouler. Où l'on pouvait contempler le reflet des nuages, tressaillant à chaque goutte qui tombait.

Les nuages. Ileana aime les nuages.

Une brise froide souffla sur le ruisseau, agitant les roseaux rigides. Quelque chose remua à leurs pieds. Des plumes de mouette, éparpillées sur le sol gelé.

Je me penchai pour en ramasser une.

Et elle aime les mouettes.

Je savais maintenant ce qui manquait au livre. Je n'avais plus qu'à trouver le moyen de le remplir avec ce qu'Ileana aimait bien. Un livre de nuages et de mouettes. Sans oublier les autres choses dont Justin m'avait parlé. J'ignorais encore comment j'allais m'y prendre, mais je pouvais déjà commencer avec ce que je tenais là, entre mes doigts gelés.

Comment mettre des nuages dans un livre ? Je commençai par emprunter l'appareil de Papa, et je sortis dans le jardin pour prendre des photos. Opération qui dura toute une matinée, puisqu'il fallut observer le ciel, attendre le passage de nuages intéressants et prendre chaque fois trois ou quatre photos tandis qu'ils avançaient, poussés par le vent. J'y consacrai toute une pellicule, car, même si je ne suis pas photographe, je savais bien qu'on ne peut pas réussir chaque photo du premier coup.

Une promenade dans mon quartier me donna l'occasion de repérer quelques chênes. En fouillant sous la neige, je trouvai assez de feuilles d'automne pour couvrir toute une page. Je décidai de les coller au milieu du livre, et vaporisai un peu de laque pour les protéger.

Avec les plumes de mouette, je fis une paire d'ailes que je disposai sur les premières pages.

Quand les photos furent développées, je choisis les meilleures et découpai les nuages de façon à ce qu'ils tiennent sur une page. Ils ne correspondaient pas trop aux préférences d'Ileana, mais ils rendaient très bien, tous ensemble.

Les étoiles me laissaient perplexe. Comment lui en donner ? Les photos, c'était hors de question pour la bonne raison que le ciel était constamment nuageux. Papa avait déjà essayé de photographier les astres et n'avait obtenu que de faibles points lumineux. J'éliminai d'office l'idée des étoiles de papier. Ça faisait vraiment trop gamin.

Alors, j'eus l'idée de me renseigner auprès de Mme Vukovitch, pour savoir s'il existait une chose qui venait des étoiles. Les diamants proviennent bien du charbon, après tout.

– Les étoiles contiennent surtout de l'hydrogène, observa-t-elle. Mais on y trouve tous les éléments en petite quantité.

Agrafer un petit ballon d'hydrogène à la dernière page du livre d'Ileana ? Pas génial.

Son anniversaire approchait, et je n'avais toujours pas d'idée !

Le lundi précédant la fête, je regardai la télé dans le salon. Comme mes parents étaient sortis, j'en profitai pour zapper. Ils détestent que je zappe, mais ils ne veulent pas non plus que j'aie mon propre poste. Pourtant, ce serait très pratique.

En passant d'une chaîne à l'autre, j'aperçus des étoiles au-dessus des numéros verts des annonces de voyance et d'astrologie.

J'appelai aussitôt Justin.

– Peux-tu me dire si Ileana est née ici, à La Nouvelle-Ninive? demandai-je.

– Oui, elle est née ici.

– Et son anniversaire, c'est vraiment le 7?

– Non, en fait c'est le 6.

– Sais-tu à quelle heure elle est née?

– Assez tard, puisque je me souviens qu'elle a dit que son père avait dû réveiller les sages-femmes. Mais pourquoi tu me demandes ça?

– J'essaie de lui donner les étoiles. Mais je t'expliquerai plus tard. Merci, Justin.

Prenant les pages jaunes, j'y trouvai, à ma grande surprise, une section réservée aux astrologues.

Après avoir regardé toutes leurs annonces publicitaires, je décidai de téléphoner à Allison Antar. De toutes les astrologues, elle me semblait la plus sympa.

Je lui parlai du livre que je voulais offrir à Ileana, et lui expliquai qu'il ne me manquait plus que des étoiles (ce qu'Ileana préférait par-dessus tout). Je pensais qu'un thème astrologique correspondant à son heure de naissance serait une façon de lui donner des étoiles.

L'idée enchanta Allison Antar, qui se mit à rire et déclara qu'elle serait très heureuse de m'aider. Sans même me faire payer.

– Je ne ferai aucune interprétation, bien entendu. Sinon, ce ne serait pas gratuit. Mais je veux bien te donner le thème astral en cadeau. Cette jeune fille a beaucoup de chance de connaître un garçon aussi attentionné.

– Euh… oui, approuvai-je, sentant mon visage s'empourprer.

Deux jours plus tard, je reçus l'enveloppe contenant le thème astral. Un magnifique cercle du zodiaque, couvert de jolis symboles astrologiques. En haut de la feuille, une inscription en lettres fleuries indiquait : *Thème astral d'Ileana Antonescu*. Je la collai sur le livre. J'étais fin prêt pour la fête.

12

Le gadjo joue les héros

Le samedi arriva enfin. À deux heures pile, mon père me déposa devant la maison des Antonescu. C'était la première fois que je la voyais. Un truc immense, un peu dans le style de la Maison-Blanche, mais encore plus grand. La façade, tout en colonnes, donnait sur une longue bande de terre en pente – une pelouse, à la belle saison, mais, à cette époque de l'année, elle était recouverte de boue. L'allée était assez large pour laisser passer un camion.

Il y avait un monde fou. La rue était pleine de voitures. Des modèles anciens, rivalisant d'élégance. Elles déposaient les enfants de jentis et repartaient. Derrière leurs lunettes noires, ils me regardaient tous, avec l'air de se demander qui avait laissé ce cochon en liberté dans le jardin.

Je demeurai un moment près des grilles (il y avait des grilles, évidemment) dans l'espoir de voir Justin et d'entrer avec lui chez Ileana. Les jentis passaient devant moi avec une moue de mépris et continuaient leur chemin en silence. Des notes de musique parvenaient jusqu'à moi.

À l'intérieur de la maison, des violonistes jouaient du classique.

Grégor arriva, flanqué de son escorte habituelle. Il leur fit signe d'attendre et vint vers moi.

– Qu'est-ce que tu fabriques ici ? grogna-t-il. Tu n'as sûrement pas été invité.

Je ne répondis rien, me contentant de le regarder de haut en bas, comme s'il était en pyjama ou en barboteuse.

– Montre-moi ton carton d'invitation, ordonna-t-il.

– Montre-moi le tien, toi. Ou peut-être que tu es venu faire la vaisselle ?

Il s'approcha de moi, l'air menaçant.

– Gadjo, peu importe ce que raconte Ileana, ta place n'est pas ici. Si tu entres dans cette maison, marqué ou pas marqué, j'aurai ma revanche.

Je levai la main à hauteur de mes yeux et me mis à scruter mes ongles.

– Oh ! là, là ! dis-je. C'est fou ce que tu me fais peur.

Grégor serra le poing et le secoua devant ma figure. Puis il fit demi-tour et s'en alla retrouver sa clique. Ils se dirigèrent à grands pas vers la maison.

J'attendis un moment, le temps que tous les jentis entrent chez Ileana. Il n'y avait plus de voitures. J'étais sans doute le seul gadjo invité à la fête. Ou alors, les autres n'étaient pas venus. Quant à Justin, il n'était toujours pas là.

Le vent froid me décida à entrer.

Imaginez un croisement de Dracula et de Frankenstein, et vous aurez une idée du majordome qui m'ouvrit la porte chez les Antonescu. Il faisait un peu plus de deux mètres trente. Le jenti typique, à part la voix.

– Bienvenue, jeune homme. Je m'appelle Ignatz. Quel est votre nom ? ronronna-t-il à la manière d'un gros félin.

– Cody Elliot, dis-je.

Deux personnes s'empressaient déjà près de moi, l'une pour m'aider à enlever mon manteau, l'autre pour emporter le cadeau.

– Ah, maître Elliot. J'ai reçu des instructions spéciales à votre sujet. C'est la première fois que vous venez chez les Antonescu, je crois. Szasz, veuillez accompagner maître Elliot à la salle de bal.

Une salle de bal ! Elle se trouvait sûrement près du terrain de polo couvert !…

Szasz, qui avait tout l'air du monstre de Frankenstein, me fit traverser un long couloir, puis un genre de cour intérieure. Ensuite, il me conduisit en haut d'un vaste escalier, tel qu'on en voit dans les vieux films en noir et blanc. Les marches suivaient une courbe longue et gracieuse, comme si elles voulaient s'envoler, et s'arrêtaient au premier étage. Face à une salle de bal dont les portes à doubles battants laissaient échapper des flots de musique.

À mon arrivée, tous les jentis braquèrent les yeux sur moi puis se détournèrent aussitôt. Je demeurai un moment immobile, incapable d'avancer, ne sachant plus quoi faire.

Puis Ileana fendit la foule des invités et vint droit vers moi, la main tendue. Elle portait une magnifique robe blanche ornée d'une rose pourpre.

– Te voilà enfin! dit-elle. Je me demandais où tu étais.

– Je suis resté dehors quelque temps. J'avais envie d'attendre Justin pour entrer.

– Il ne pourra pas venir, il est malade, fit Ileana en se décomposant. Je suis contente que tu sois venu.

– Qu'est-ce qu'il a?

– Il ne m'a rien dit, soupira-t-elle. Viens, il faut que je te présente à quelques personnes.

Elle me prit par le bras et m'entraîna vers ses parents.

– Papa, tu te souviens de Cody Elliot? Maman, c'est le garçon qui a aidé Justin l'autre jour.

– Je suis très content de te revoir, dit M. Antonescu en me serrant la main. Ileana ne tarit pas d'éloges sur ton écriture.

Pourquoi fallait-il qu'il ramène ça sur le tapis?

Le visage de Mme Antonescu s'illumina. Elle ressemblait beaucoup à Ileana. Petite et belle.

– Ah, le jeune héros! s'exclama-t-elle avec un fort accent de jenti.

– Que penses-tu de Vlad Drac? me demanda M. Antonescu.

– Ça n'a rien à voir avec mon ancien lycée.

– Oui, je suppose, sourit M. Antonescu. Mais ça te plaît?

J'aurais pu répondre par une politesse, mais, à mon avis, M. Antonescu n'aurait pas été dupe.

– Aucune loi ne nous oblige à aimer l'école, répondis-je. J'aime beaucoup Ileana et Justin. J'apprécie le natatorium quand je peux y être seul. Mais je me passerais facilement du reste.

– Une réponse franche, au moins! fit M. Antonescu à l'adresse d'Ileana. Ça fait plaisir, surtout que, dans mon métier, je n'en ai pas l'habitude. Merci.

J'eus l'impression d'avoir raté un examen.

– Viens, dit Ileana. Je vais te montrer ta place.

De longues tables avaient été installées à l'extrémité de la salle. Une petite carte posée près de chaque assiette indiquait le nom des invités. Sur une estrade se trouvait une table avec des chaises disposées d'un seul côté, face aux invités.

– Voilà ta place, dit Ileana en désignant la chaise juste à côté de la sienne. Puis-je te présenter deux amies à moi? Marie et Erzabet, voici Cody Elliot, dit-elle. Cody, je te présente Marie et Erzabet Haraszthy. Elles sont aussi à notre table.

– Enchantées! firent-elles d'un ton suave.

– Vous permettez? dit Ileana. Il faut que j'aille saluer mes invités.

Nous nous regardions tous les trois en souriant, comme font les gens quand ils ne savent pas quoi dire. Elles, en baissant la tête, et moi en la levant. Marie, la plus « petite », avait presque une tête de plus que moi, et Erzabet la dépassait.

– Alors, vous allez aussi à Vlad ? demandai-je à l'épaule d'Erzabet.

– Vlad ? articula-t-elle avec précaution, comme si elle était étrangère. Non, nous ne vivons pas aux États-Unis.

– Nous sommes d'authentiques Transylvaniennes, répondit Marie en me souriant comme si j'étais le sandwich le plus appétissant qu'elle ait jamais vu.

– Mais notre famille habite Paris depuis des années, continua Erzabet. Au départ, c'était à cause du communisme en Hongrie et en Roumanie. Maintenant, c'est parce que… nous aimons Paris.

– Mais nous passons une partie de l'année dans… les terres de nos ancêtres, dit Marie. C'est important de retrouver ses racines, vous ne trouvez pas ?

– Oui, bien sûr. Je viens de Californie, et ça me manque beaucoup.

– Un gadjo de Californie, commenta Erzabet. C'est bien la première fois que je rencontre un tel spécimen.

Marie posa la main sur mon bras.

– Raconte-nous comment tu connais notre Ileana, dit-elle.

Je ne voulus pas leur parler d'Illyria. Elles auraient sans doute trouvé le jeu bien puéril…

– Nous sommes en classe ensemble, répondis-je. Ileana, Justin et moi. Au fait, vous connaissez Justin Warrener ? On traîne ensemble.

– Ah, vous traînez ensemble, répéta Erzabet, comme si je venais de dire quelque chose de drôle et qu'elle réprimait son envie de rire.

– Comme ça doit être bien de traîner ! couina Marie. C'est une chose que nous n'avons pas l'habitude de faire, chez nous.

– Nous sommes toujours occupées, en Europe, reprit Erzabet. On est obligées.

– On a pas mal de boulot à Vlad aussi, fis-je remarquer.

– Mais vous avez quand même le temps de traîner ensemble, gloussa Marie.

– Uniquement après les cours.

Marie et Erzabet s'adressèrent le genre de sourire mystérieux si typiquement féminin qui donne aux garçons l'impression d'être des crapauds. Puis leurs beaux yeux me regardèrent d'un air inquisiteur, comme si j'étais une plaisanterie dont le sens leur échappait complètement.

– Vous êtes ici pour longtemps ? demandai-je pour rompre le silence.

– Non, nous retournons bientôt en Europe, répondit Erzabet. Nous sommes venues uniquement pour l'anniversaire d'Ileana. C'est un événement que nous ne pouvions pas rater.

– Vous venez tous les ans pour son anniversaire ?

– Pratiquement jamais, répondit Marie. Mais, comme tu le sais sans doute, les quinze ans, c'est l'année la plus importante pour nous.

– Je l'ignorais.

– Tu as dû remarquer qu'elle porte une rose, observa Marie. Cela signifie que c'est une femme maintenant.

– Ce n'est plus une petite fille, renchérit Marie.

– En Europe, elle connaîtrait déjà le nom de son futur mari, continua Erzabet. Mais ici…

Elle agita la main, comme si elle écartait quelque chose.

– Ici, même les jentis manquent de maturité, affirma Marie d'un ton péremptoire. C'est dommage, surtout quand on sait qui elle est.

– Mais nous n'avons pas à critiquer, interrompit Erzabet.

– Non, certainement pas, dit Marie.

– En Amérique, les choses sont différentes, commenta Erzabet. En Europe, on ne verrait jamais un gadjo dans ce genre de cérémonie.

Et elle me gratifia d'un sourire.

Qui m'énerva sérieusement.

– Ouais, vous savez ce que c'est, en Amérique. On laisse entrer n'importe qui. Même des vampires, répondis-je en souriant à mon tour à ces charmantes pestes.

Et je les quittai sur ces paroles, en me demandant où était Justin au moment où j'avais le plus besoin de lui.

Papa m'avait laissé son téléphone portable afin que je puisse l'appeler pour qu'il vienne me chercher. Je sortis sur le palier et composai le numéro de Justin.

– Allô?

Je reconnus la belle voix de Mme Warrener.

– Bonjour, madame. Ici Cody Elliot, je voulais prendre des nouvelles de Justin.

– Justin ira mieux dans un jour ou deux, répondit-elle d'un ton triste.

Elle hésita un instant avant de poursuivre.

– Nos provisions de sang se sont vidées un peu plus tôt que prévu. Je ne sais pas si Justin te l'a dit, mais il lui en faut légèrement plus que la moyenne et, ce mois-ci, il n'en a pas eu autant que d'habitude.

Elle étouffa un sanglot.

– Et vous, ça va, madame Warrener? demandai-je.

– Pas trop mal, merci. Je ne suis pas obligée d'en… boire, je peux m'en passer quelques jours, le temps qu'on ait un peu d'argent à la maison.

– Je peux parler à Justin, s'il vous plaît?

– Un instant.

– Allô, chuchota la voix de Justin.

– Salut vieux. Je suis chez Ileana, et tout le monde me regarde comme si j'étais prévu au menu, dis-je. À part Ileana, Grégor et sa clique, je ne connais personne. Au secours!

– Je ne peux pas venir, fit-il d'un ton amer. Ma mère t'a expliqué pourquoi.

– Mais si t'avais de quoi… t'alimenter, tu pourrais venir ?

– J'aimerais tant y aller, soupira-t-il.

– Alors, et si je demandais à Ileana de te faire envoyer quelques litres ? Ils doivent en avoir plein chez eux.

Il y eut un long, très long silence à l'autre bout de la ligne.

Finalement, Justin répondit que c'était impossible.

– Pourquoi donc ? m'écriai-je. Vous avez des règles qui interdisent de partager ?

– Non, dit Justin. Ça n'a rien à voir avec les coutumes des jentis. C'est un vieux truc de la Nouvelle-Angleterre. Euh… on… Je ne peux pas faire une chose pareille, c'est tout.

Dans ma tête, j'envoyai paître Justin et son orgueil à la noix, et je faillis raccrocher. Mais à l'idée de me retrouver dans une salle remplie de Marie et d'Erzabet de toutes sortes, je me ravisai aussitôt.

– Prépare-toi, dis-je. J'arrive.

– Reste donc à la fête, souffla Justin. Ileana tient à ta présence.

– Toi aussi, elle veut que tu sois là. Je vais te donner ce qu'il te faut à boire. Comme ça, tu pourras venir. Tu n'as pas le choix, répondis-je d'un ton bien plus assuré que je ne l'étais en réalité.

– Non, tu es mon ami ! Et Ileana t'a marqué, répliqua Justin.

Puis j'entendis des bruits sourds à l'autre bout de la ligne et j'attendis que Justin reprenne le combiné, qui avait dû tomber par terre.

– Je vais lui demander gentiment, dis-je. Je veux que tu sois prêt à te lever quand j'arrive.

Je n'en revenais pas. C'était bien moi qui avais prononcé ces paroles ? Ma tête tournait, tellement j'avais la trouille. Mais j'avais besoin de lui autant qu'il avait besoin de moi.

Je revins dans la salle et m'adressai à Ileana.

– Je sais ce qu'il a, Justin. Je peux aller le chercher, mais j'ai besoin de ta permission pour faire une chose.

– Laquelle ?

– Lui donner un peu à boire… de ton approvisionnement personnel.

Les yeux ambrés d'Ileana s'élargirent, puis son visage s'illumina d'un sourire radieux.

Je dois être amoureux. Même ses canines, je les trouve carrément craquantes.

– Tu ferais ça pour lui ? Tu ramènerais mon ami ici ? dit-elle en posant la main sur mon bras.

– Si tu m'en donnes la permission. Et si quelqu'un peut me conduire en voiture, dis-je.

Elle s'adressa à moi dans sa langue de vampire, d'une manière qui m'enchanta, même si je ne compris pas un traître mot. Puis elle parla à l'un des serviteurs.

Il me guida rapidement à travers la maison, en passant par les cuisines, puis dans un garage qui aurait pu accueillir plusieurs avions. Un chauffeur, qui semblait sortir de nulle part, m'ouvrit la porte d'une limousine.

– Vous savez où nous allons ? lui demandai-je.

– Bien sûr, monsieur, dit-il en claquant les talons.

Vingt minutes plus tard, j'étais chez Justin.

– Est-ce que vous pouvez attendre ? fis-je.

– Certainement, répondit le chauffeur. Tout le temps qu'il faudra. Je suis à votre service.

Je montai l'escalier et frappai à la porte. J'étais prêt à lâcher une plaisanterie pour masquer ma nervosité, mais l'expression de Mme Warrener m'en dissuada.

– Il t'attend, dit-elle d'un ton précipité.

Il était assis sur un fauteuil, en pantalon de smoking. Sa veste était suspendue à la porte. Il avait roulé une de ses manches. Il essaya de lever la tête quand il me vit. Sans y parvenir.

Des tubes et des seringues attendaient sur une petite table près de lui. Une chaise avait été préparée pour moi.

J'enlevai ma veste et m'assis, roulant ma manche de chemise moi aussi.

– Je ne ferais pas ça pour tout le monde, tu sais. J'ai horreur des piqûres !

– On peut procéder à la mode d'autrefois si tu préfères, haleta-t-il.

– Seringue, fis-je.

Mme Warrener nettoya mon bras avec de l'alcool et piqua délicatement l'aiguille dans mon bras. Elle me donna un truc en caoutchouc, et me recommanda de le serrer constamment dans mon poing.

J'en fais tout un plat mais, en réalité, ce n'était rien du tout. À part le cinéma que je me faisais dans ma tête.

Pour Justin, il en allait tout autrement. Il haletait comme un noyé qui revient à la vie. Il rejeta la tête en arrière, la bouche grande ouverte. Sa jambe tremblait. Alors que mon sang commençait à passer dans le sien, je vis ses dents rétrécir de plus en plus. Le tremblement s'arrêta.

C'était carrément atroce. Pas étonnant que les jentis aient une telle réputation, remarquai-je en moi-même.

Quelques minutes après, il secoua la tête, comme quelqu'un qui reprend conscience après un évanouissement, et me regarda en souriant.

– C'est la deuxième fois que tu fais le truc le plus sympa qu'on ait jamais fait pour moi, dit-il.

– En échange, tu peux m'accompagner à la fête, répondis-je. La limousine nous attend.

Mme Warrener enleva les aiguilles et le reste, et je déroulai ma manche.

– Tu ferais mieux de te reposer un peu, Cody, recommanda-t-elle. Tu risques d'avoir un étourdissement. Je vais te donner des cookies au chocolat.

– Ça ira, dis-je en me levant, juste avant de tomber en arrière, les quatre fers en l'air.

Justin et sa mère m'installèrent sur le divan. Il souriait, mais elle me regardait d'un air inquiet.

– D'accord, je veux bien un ou deux cookies.

Je m'assis et, après avoir dévoré pratiquement la moitié du paquet, je me sentis beaucoup mieux.

– Au fait, lança Justin, qu'a dit Ileana quand tu lui as expliqué ce que tu venais faire ici ?

– Elle a dit quelque chose dans votre langue. Je n'ai pas compris.

– Je crois savoir ce que c'est, dit-il.

Puis il répéta les paroles d'Ileana.

– Mais oui ! m'exclamai-je. Comment tu as su ?

– C'est un truc qu'elle m'a appris quand on était petits, dit-il. Un genre de bénédiction : « Rentre chez toi sans tracas. » Viens ! On va faire la fête.

13

Joyeux anniversaire, princesse

Le chauffeur sortit pour nous ouvrir la porte de la voiture, et fit une petite révérence avant de claquer des talons.

– Il joue son rôle à fond, dis-je en m'installant à l'arrière.

– Il a raison, commenta Justin. Tu n'es pas n'importe qui.

Nous arrivâmes dans la salle de bal au moment du dessert. Deux cents têtes se tournèrent vers nous et la musique s'arrêta. On aurait pu entendre une mouche voler.

– Oh-oh ! J'ai l'impression que nous sommes en retard, murmurai-je.

M. Antonescu se leva et vint à notre rencontre.

– Vous allez bien, tous les deux ? demanda-t-il.

– Oui, maintenant ça va, répondit Justin.

Nous le suivîmes vers la table d'honneur. Ileana était assise au milieu, Grégor était placé entre Ileana et Mme Antonescu. Il y avait deux places libres de l'autre côté.

– Chouette ! On est à côté de Grégor, chuchotai-je.

– Pas moyen de le mettre ailleurs, signala Justin. C'est son cousin.

Ileana se leva, prononça quelques mots dans la langue des jentis, et tout le monde se mit debout. Grégor attendit le dernier moment pour décoller de sa chaise. On aurait dit un chien de garde attaché à une chaîne trop courte. M. Antonescu s'empressa auprès de nous. Personne ne disait rien.

Nous n'avions aucune idée, Justin et moi, de ce qui allait se passer. Les jentis non plus, à en juger d'après la lueur d'interrogation dans leurs yeux.

– Prenez place, monsieur, murmura Ileana.

Comprenant alors qu'elle s'adressait à moi, je m'assis. Elle s'installa à son tour, donnant le signal à tous les convives de faire de même. Puis elle demanda à Justin s'il allait bien.

Justin répondit par un sourire et un signe de la main. Il plia deux doigts en mimant des crochets qui attrapent quelque chose.

Ileana se cacha derrière sa serviette pour rire. Ses épaules étaient agitées de convulsions.

– Qu'est-ce qu'il y a de marrant? demandai-je.

– Rien, répondit Justin. Je lui ai juste montré que j'allais bien.

– Hein? C'était quoi, ce geste que tu as fait? Pourquoi est-ce que tout le monde s'est levé?

– Ce geste de la main, c'est un signe entre nous, haleta Ileana, essayant de réprimer son fou rire. Aujourd'hui, ça veut dire : « Tout va bien », mais, à l'origine, ça voulait dire : « J'ai fait un festin. »

– Comme c'est mignon !

– Et si tout le monde s'est levé, c'est parce qu'ils ne pouvaient pas rester assis en ma présence un jour comme aujourd'hui. Et moi, si je me suis levée, c'est pour te faire honneur, chevalier poète d'Illyria, dit-elle en me pressant la main sous la table.

– Oh... balbutiai-je, sentant le rouge me monter aux joues.

Elle fit signe aux musiciens de jouer. Des serveurs apportèrent les desserts. En soulevant la cloche qui recouvrait nos assiettes, nous nous rendîmes compte, Justin et moi, qu'on nous avait servi une double portion.

– Mangez, intima Ileana. Vous devez reprendre des forces.

Une fois de plus, je me régalai de nourriture jenti, mais je fus incapable d'identifier le contenu de mon assiette.

– J'ai entendu ce que tu as dit à Marie et Erzabet, chuchota Ileana. Assez marrant, mais plutôt malpoli. Je parie que personne ne les a jamais traitées de vampires.

Puis Grégor lui adressa la parole, et elle se tourna de son côté.

– Tu connais Marie et Erzabet ? demandai-je à Justin. Aïe, aïe, aïe !

– Non, mais j'imagine tout à fait le genre, dit Justin. Très traditionnelles.

– «Nous sommes d'authentiques Transylvaniennes», fis-je en essayant d'imiter leur accent. Elles m'ont regardé de haut, comme si j'étais un vulgaire insecte.

Justin se mit à rire.

– Elles ont également peu d'estime pour les jentis américains, observa Justin. Ne t'inquiète pas. Je crois qu'elles envient surtout ce qu'on a ici.

– Je comprends pourquoi, dis-je en promenant mon regard autour de la salle de bal. Cette baraque doit valoir une fortune.

– Ce n'est pas de ça que je parlais, fit remarquer Justin. La plupart de ces familles ont plein d'argent. Je voulais parler de la liberté.

– Elles en ont aussi, de la liberté, chez elles en Europe.

– Pas comme ici. Je parle de la liberté de faire ce qu'on veut. De vivre sa vie comme on l'entend. Tu penses peut-être que, par rapport aux gadjos, les jentis d'ici n'ont pas un style de vie très enviable. Tu as sans doute raison… Mais on a beaucoup évolué depuis quelques années. Et en Europe, ils n'ont pas progressé aussi vite.

– Marie disait qu'en Europe, Ileana saurait déjà qui elle épouserait.

– Elle en saurait bien plus que ça, affirma Justin. Mais elle est un cas à part, même en Europe.

– Oh oui, et pas que là-bas, dis-je.

– Tu vois de quoi je parle, fit Justin.

J'allais lui demander à quoi il faisait allusion quand Ileana agita une petite cloche de cristal qui résonna dans toute la salle.

La musique s'arrêta et tout le monde la regarda. Elle se mit debout.

– Pardonnez-moi, mes amis, si je m'adresse à vous en anglais et non dans la langue de nos ancêtres, dit-elle. Mais je tiens à être comprise par toutes les personnes qui sont parmi nous aujourd'hui. Je suis américaine, et l'anglais, dont j'apprécie beaucoup la beauté, est la langue que je parle le plus chaque jour.

Certaines personnes s'agitèrent légèrement à leurs tables. On aurait dit un bruissement d'ailes de cuir.

– Je tiens à vous remercier tous de m'avoir honorée aujourd'hui par votre présence, continua Ileana. Pour nous, le quinzième anniversaire constitue l'un des événements majeurs de la vie d'une jeune fille. Je suis très heureuse de partager ce moment avec tous ceux qui nous sont chers, à ma famille et à moi.

Elle se tourna alors vers son père, qui était assis un peu plus loin sur sa droite.

– Merci d'abord à mon père qui a tant aimé ma mère, et qui l'a choisie pour me donner la vie. Et merci, merci à ma mère qui m'a conduite de l'obscurité à la lumière.

Elle s'inclina légèrement vers sa mère qui souriait.

– Merci à mes oncles, mes tantes, mes cousins et mes amis d'outre-Atlantique, qui m'ont permis de connaître et d'apprécier nos anciennes traditions. Merci également à mes amis, différents de nous, grâce à qui j'ai le plaisir de découvrir une nouvelle culture.

Il me sembla entendre de nouveau le bruissement de tout à l'heure. Sans doute des gens qui n'appréciaient pas ce qu'ils entendaient.

– Nous sommes un grand peuple, continua Ileana. Nous n'avons jamais été vaincus ou détruits. Nous sommes aussi forts que les pierres de notre Terre Mère. Aussi, nous pouvons nous permettre d'avoir confiance. Le monde a changé et continue de changer. Je pense qu'une nouvelle forme de grandeur nous appelle, et viendra un temps où les jentis et les gadjos n'auront plus peur les uns des autres.

Je crus entendre Grégor grogner à ce moment-là. Ileana termina simplement par ces mots :

– L'heure est venue.

Elle agita la cloche une fois de plus et s'assit. Les musiciens recommencèrent.

Tout doucement, afin de n'être entendu que par moi, Justin sifflota les premières notes de l'hymne national américain et ajouta « Oh ! là, là ! » comme s'il n'en croyait pas ses oreilles.

– Quoi ? chuchotai-je.

– Je te dirai tout à l'heure, dit-il.

– Non, maintenant, insistai-je.

Mais juste à ce moment-là, les serviteurs apportèrent les cadeaux. Des centaines de cadeaux, empilés sur des chariots aussi grands que des camionnettes.

Szasz les déballa un par un tandis qu'Ignatz annonçait le nom de la personne qui les offrait.

C'était tout à fait le genre de cadeaux que n'importe quelle fille reçoit pour son quinzième anniversaire. Des bijoux anciens, des sculptures, des peintures, deux ou trois donations de terrain, un acte de propriété pour une mine de diamants en Afrique du Sud. Tout ce qu'il y a de plus ordinaire.

À chaque présentation de cadeau, les jentis applaudissaient ensemble, doucement d'abord puis à tout rompre. Le rythme effréné se brisait, et les applaudissements se fondaient doucement comme une onde de plaisir.

Ileana avait toujours un petit mot pour remercier chaque invité.

J'eus largement le temps de comparer mon cadeau aux autres. Je sentis que je me ratatinais de plus en plus à l'intérieur de moi-même et que je comprenais de moins en moins ce qui se passait. Pourquoi tous ces gens avaient-ils une si haute opinion d'Ileana ? Je commençais à me demander si je n'avais pas raté quelque chose.

Le tour de mon cadeau arriva. Il en restait encore la moitié à ouvrir... Szasz déballa donc le cadeau de Cody Elliot, et Ignatz, le montrant à la vue de tous, annonça :

– Le cadeau de maître Cody Elliot. Un livre dont le titre est...

Il s'arrêta, feuilleta le livre et s'exclama :

– Un livre vierge avec… des objets collés sur certaines pages.

Grégor éclata de rire et j'entendis quelques ricanements.

– Laissez-moi voir, commanda Ileana d'un ton sans réplique.

Ignatz le lui apporta et elle commença à le feuilleter avec précaution.

– Une page de nuages, dit-elle. Une page de plumes de mon oiseau préféré. Des feuilles de chêne. Et ici, sur la dernière page, des étoiles. Les miennes ! Et assez de place dans le reste du livre pour toutes mes annotations au jour le jour. Merci, mon ami, fit-elle en s'adressant à moi. Merci de ta générosité.

Elle posa le livre près d'elle et s'assit.

La mère d'Ileana se mit à applaudir ; elle fut pratiquement la seule. Les applaudissements s'arrêtèrent presque tout de suite. Szasz montrait déjà le cadeau suivant.

Quel cirque ! Je commençais à en avoir franchement marre, mais la remise des cadeaux se termina enfin. Chariots et tables furent retirés de la pièce. L'orchestre joua de la musique tzigane. Les musiciens s'en donnaient à cœur joie, et les jentis se lancèrent dans la danse.

Je n'en croyais pas mes yeux. Ces modèles de flegme et de tranquillité dégageaient soudain une telle énergie… on aurait dit un affrontement au sein d'une meute de chiens. Et quelle souplesse ! Je m'étonnai de voir des gens en costume ou en robe de soirée se plier ainsi dans tous les sens… Et un tel contrôle des mouvements. Pas la moindre collision, pas d'orteil écrasé.

Ileana dansait avec… Grégor. Il la soulevait et la faisait tourner comme si elle était aussi légère que de la barbe à papa. Et elle le suivait dans la danse comme si elle était le prolongement de son bras. Personne n'invita Ileana à danser pendant qu'elle évoluait sur la piste avec Grégor.

Je bouillais à l'intérieur de moi-même.

– Il la serre beaucoup, je trouve, pour un cousin, dis-je à Justin.

– Il y a cousins et cousins, fit remarquer Justin.

– Explique-toi.

– Beaucoup de gens pensent qu'ils vont se marier.

– Hein ! Mais ils sont de la même famille !

– Les mariages entre cousins sont assez fréquents. Tu ignores sûrement que plus de la moitié des présidents ont un lien de parenté avec au moins un des autres.

– Grégor ne risque pas de devenir président, lançai-je d'un ton sec.

– Lui non, mais Ileana sera plus ou moins reine un de ces jours.

– Arrête ton char !

Justin me regarda d'un air interloqué.

– Tu n'es pas au courant ! s'exclama-t-il, et il secoua la tête. Elle ne t'a jamais rien dit ? Elle aurait dû. Je me demande bien pourquoi elle ne l'a pas fait.

– Mais de quoi parles-tu ?

– Il existe un genre de royauté chez les jentis, dit-il. Ileana est d'un rang très élevé. Sa mère est considérée comme la reine des jentis en Europe.

– On est en Amérique, ici. Elle est américaine. Ces trucs de royauté, ça n'existe pas chez nous.

– Oui, mais on a parfois du mal à se défaire de certaines coutumes. Je ne pense pas que ça plaise beaucoup à Ileana, mais elle est plus ou moins obligée d'accepter.

– Et elle épousera Grégor rien que parce que certaines personnes la considèrent comme une reine ? Et lui ? Quel rang a-t-il dans votre hiérarchie ? demandai-je d'un ton de plus en plus exaspéré.

– Un rang assez élevé, lui aussi.

– C'est-à-dire ? Le roi ?

– Les jentis n'ont pas de roi, uniquement des reines. Mais vu son rang, il peut l'épouser.

– Ça me dégoûte, votre système ! Je m'en vais.

– Quitter la salle avant sa mère serait extrêmement impoli, observa Justin.

– Et alors ! Je ne suis qu'un gadjo débile. Personne n'a envie de me voir ici, de toute façon.

Justin posa la main sur ma manche.

– Si. Elle, elle veut que tu restes. Ne pars surtout pas sans lui dire.

D'un mouvement du bras, je me libérai de son emprise.

– Je dégage.

Mais Justin me serra alors avec toute sa force de vampire.

– Écoute, souffla-t-il, ne file pas avant qu'elle t'ait dit au revoir. Tu ne comprends pas tout ce qui se passe ici.

– Je comprends bien assez !

– Non, je n'en ai pas l'impression. Tu es sans doute le premier gadjo à être invité à un quinzième anniversaire, et tu es certainement le seul à s'asseoir à la table d'honneur. Tu as raison sur un point : personne d'autre ne souhaite ta présence ici. Ni ses parents, ni le reste de sa famille. Et tu devines sûrement ce que Grégor en pense. Tu saisis ?

– Non, et tu me lâches maintenant, bordel !

– Pourquoi est-ce qu'elle ferait ça ?

Je ne répondis rien.

– Attends ici une minute, dit Justin. Je t'en prie, Cody. Ça m'ennuierait d'être obligé de te casser une jambe.

Justin disparut parmi les danseurs. Je demeurai là, fulminant, pendant un temps qui me parut interminable. Puis j'en eus marre d'attendre. Justin n'avait qu'à me trouver s'il voulait me casser une jambe. J'étais bien décidé à fiche le camp.

Je n'eus pas le temps de mettre mon projet à exécution.

– Suivez-moi, monsieur, fit Ignatz en posant une main sur mon épaule.

– Je m'en vais, répliquai-je.

– Je ne souhaite pas vous en empêcher, dit-il, mais vos hôtes demandent à vous voir. Veuillez me suivre.

La présence d'un vampire de plus de deux mètres suffit amplement pour vous convaincre d'accepter ce qu'il demande avant même qu'il ouvre la bouche…

Je lui emboîtai donc le pas jusqu'à une petite pièce où m'attendait la famille Antonescu.

Mme Antonescu me fit une révérence, et son époux s'inclina légèrement vers moi.

– Nous avons appris que tu voulais partir, dit-il. Pardonne-nous de ne pas t'avoir remercié comme il se doit, quand tu es revenu avec Justin. Nous ne voulions pas interrompre la cérémonie d'anniversaire. Sans doute avons-nous eu tort. Ce n'est pas toujours facile de savoir comment agir le plus convenablement possible, même avec l'expérience des années.

– Ce n'est pas ça, dis-je. Je voulais juste rentrer chez moi. C'est tout. Je ne m'attendais pas à ce que vous interrompiez la fête d'Ileana.

– Tu as fait preuve d'une grande générosité de cœur, dit Mme Antonescu.

Puis elle m'embrassa sur la joue en s'exclamant :

– Je peux bien me permettre ce petit geste !

– Il existe des légendes parmi les jentis au sujet des gadjos comme toi, dit M. Antonescu. Mais je n'avais pas encore eu l'occasion d'en rencontrer.

– Je n'ai fait que donner un peu de mon sang.

– Oui. Mais tu l'as donné sans discuter et de ta propre initiative, ajouta Mme Antonescu. C'est là toute la différence.

– Tu risques de devenir un héros chez nous, dit M. Antonescu.

– Non, dis-je. Je vous en prie, n'en parlez à personne. Ce n'était rien.

– Puis-je m'entretenir quelques minutes seule avec mon ami ? demanda Ileana à ses parents.

Son père et sa mère échangèrent un regard.

– Pas longtemps, ma chérie. Tu as des invités, dit M. Antonescu.

– Oui, Papa.

Ileana resta debout en silence, dans la pénombre. Elle avait l'air d'une reine.

« C'est une reine ! » pensai-je, incapable de trouver quelque chose à dire.

– Merci, dit-elle enfin.

– De rien.

– Tu sais, Justin est mon ami le plus cher. Sans toi, il ne serait pas venu ici aujourd'hui. C'était très généreux de ta part.

– Nous proposons gratuitement toutes sortes de services, dis-je. La générosité entre autres.

– S'il te plaît, ne t'amuse pas à faire de l'humour maintenant. Il faut que je te parle.

– Si c'est à propos de Grégor, je suis déjà au courant.

– Non, c'est impossible, même Justin ne le sait pas. Je suis la seule à le savoir. Je n'épouserai jamais Grégor. Jamais. Si j'épouse quelqu'un, ce sera quelqu'un que je veux épouser, uniquement quelqu'un que j'aime.

– Ah… bien.

Elle me regarda comme si elle attendait quelque chose.

– Bonsoir, lança-t-elle pour finir, puisque je ne disais rien. Je dois retrouver mes invités.

En passant, elle effleura ma joue du bout des lèvres.

Je me tournai vers elle pour la retenir, mais je perdis l'équilibre et me retrouvai bêtement à embrasser l'air.

– Mon poète, chuchota-t-elle avant de s'échapper.

La porte se ferma derrière elle.

La grande limousine s'approcha, aussi silencieuse qu'un cimetière à minuit. Elle m'avait attendu. Ignatz m'accompagna jusqu'à la portière, tenant même un parapluie au-dessus de ma tête. Il pleuvait depuis peu, et les vitres étaient recouvertes d'un voile d'argent. La tête du chauffeur derrière la cloison de verre était maintenant le seul autre élément humain autour de moi. J'étais tranquille, enfin.

J'eus tout loisir de réfléchir à mon comportement ridicule. Je n'avais pas été fichu d'embrasser une fille qui attendait que je l'embrasse. Parce que j'avais perdu l'équilibre ! Je me demandais d'ailleurs si j'allais le retrouver… J'étais complètement désarçonné.

Tout ce que je pouvais espérer, c'est qu'Ileana accepte un de ces jours de m'accompagner au cinéma. Elle qui faisait son apprentissage de reine, et qui pensait au mariage. À quinze ans ! Fallait d'abord que je termine le lycée…

Et en plus de ça, l'histoire du poète était revenue sur le tapis !

J'aimais Ileana, mais jusqu'à quel point ? Et elle ? Partageait-elle seulement mes sentiments ? Ce que je prenais pour de l'amour n'était peut-être que de l'amitié et de la gratitude, parce que j'avais aidé Justin…

La vie me sembla soudain bien compliquée.

J'arrivai à la maison, le cœur noué. Papa et Maman, pour changer, regardaient un de leurs vieux films en noir et blanc.

– Alors, cette fête ? demanda Maman, avant de prendre la télécommande pour faire un arrêt sur image.

– Pas mal.

– Qui t'a ramené ? fit Papa.

– Le chauffeur d'Ileana.

– Ho, ho, ho ! s'exclama-t-il. Par courtoisie envers un invité de marque ou bien parce qu'ils voulaient se débarrasser de toi au plus vite ?

– Ils voulaient se débarrasser de moi au plus vite parce que j'ai vomi dans le bol de punch après avoir joué à *Qui embrasse qui ?*

– Je posais juste la question comme ça, se défendit Papa.

– Tu me lances une vanne, je réplique par une autre, rétorquai-je.

– Touché! fit Maman.

– Bon, si je comprends bien, tu as passé une bonne soirée?

– Carrément mémorable.

– Alors, c'était certainement bien, conclut Maman.

Sur l'écran, un type embrassait la fille dont il était amoureux. Celui-là n'avait certainement jamais raté sa cible. Pour lui, c'était fastoche. Il n'avait qu'à lire son script pour savoir la suite…

– Vous pouvez remettre le film. Je vais me coucher, dis-je.

14

Échange de citations

Le lundi suivant, le chauffeur me salua et insista pour porter mes livres jusqu'à la voiture. Les autres se poussèrent pour me faire de la place à l'arrière. L'un d'eux s'empressa de me préparer un double moka. Ils s'exprimèrent uniquement en anglais pendant toute la durée du trajet.

En arrivant sur le campus, je sentis que quelque chose avait changé. Dans les couloirs, les jentis me gratifiaient d'un petit signe de tête en passant. Les plus démonstratifs me souhaitèrent même le bonjour. Ce qui, de la part d'un jenti, équivaut à une grande tape amicale dans le dos.

Pendant le cours de maths, M. Mach s'avança jusqu'à mon bureau.

– Elliot, vous avez fait des progrès. Je me demande si je ne devrais pas commencer à noter vos devoirs. Qu'en pensez-vous ?

– Je pense qu'il est temps, répondis-je.

– Vous avez raison, fit-il en hochant la tête.

Shadwell m'attendait à la porte de sa classe.

– Ah, comment avance cette épopée, Elliot? demanda-t-il.

Puis, lisant la déception qui s'inscrivait sur mon visage, il ajouta :

– L'angoisse de la page blanche, peut-être?

– Non. Je suis mauvais, c'est tout, avouai-je.

– N'hésitez pas à me dire si je peux faire quelque chose, fit-il. Après tout, l'épopée n'est pas le seul genre littéraire. Vous avez sûrement d'autres talents cachés. Évidemment, il reste peu de temps… mais si je peux vous aider en quoi que ce soit… ajouta-t-il avant de s'incliner légèrement vers moi.

M. Gibbon, le professeur d'histoire-géo, me prit à part.

– J'ai remarqué vos progrès, Elliot. Mais vous avez encore du mal à saisir les nuances de notre matière.

– Désolé, monsieur Gibbon. J'aime bien l'histoire-géo, mais je suis incapable de mémoriser les noms des personnes impliquées dans la seconde défenestration de Prague en 1619.

– C'était en 1618, en fait, fit remarquer M. Gibbon, mais ça m'ennuie de vous donner moins de la moyenne. Je peux vous noter sur un exposé, si vous avez un sujet qui vous tient particulièrement à cœur. Et on tiendrait compte de cette note dans la moyenne.

– Vous voulez dire un véritable travail de recherche? Pour une vraie note?

– Exact, Elliot.

– Je suis partant. Mais quel genre de sujet avez-vous à l'esprit ?

– Peut-être quelque chose se rapportant à l'histoire des jentis en Amérique, dit-il en levant les yeux au plafond. Un bon nombre d'entre nous ont joué un rôle important, vous savez. Benedict Arnold, Aaron Burr, Jefferson Davis. Et d'autres… Je vous recommande de consulter l'ouvrage de Whittaker. C'est une autorité en la matière. Revenez me voir à la fin de la semaine avec une proposition.

Mme Vukovitch attendit la fin du cours pour me parler.

– Que faites-vous durant votre temps libre le lundi et le mercredi ? demanda-t-elle.

– Rien de spécial.

– Je vous propose de passer une partie de ce temps avec moi. Je vous donnerai des cours particuliers jusqu'à ce que vous commenciez à penser comme Léonard de Vinci, ou Einstein, ou même comme moi, peut-être. D'accord ?

– Oui, madame, répondis-je.

– Je m'en réjouis à l'avance, gadjo, fit-elle en m'adressant son plus charmant sourire.

Voilà. J'avais ce que je voulais. Ils allaient tous me noter comme un jenti, et je devrais travailler plus dur que jamais. Je n'en revenais pas d'être si content. J'aurais bien sauté au plafond !

Je suppose que j'aurais dû m'y attendre : je fus convoqué au bureau de Horvath.

– Maître Cody, dit-il en me lorgnant derrière ses longs doigts pointus.

Puis il s'arrêta, comme s'il ne savait plus quoi dire, et claqua la langue entre ses dents.

– Vous semblez être le héros du jour.

– J'ignore de quoi vous parlez, monsieur.

– Quelle modestie, et de la part d'un gadjo ! s'exclama-t-il, oubliant sans doute qu'il avait prétendu que ce terme n'était jamais utilisé dans son établissement…

Puis il se retourna vers moi, en s'arrangeant cette fois pour avoir le visage dans la pénombre.

– Vous avez agi noblement, maître Cody, fit-il d'un air fourbe. Mais vos manières sont bien différentes des nôtres. Ce n'est pas toujours simple. On ne peut pas vous en vouloir d'ignorer ce qu'on ne vous a jamais dit. Aussi, je vais vous mettre au courant maintenant, et je compte sur vous pour agir en conséquence à l'avenir. Dans notre ville, les relations intercommunautaires sont délicates. Il appartient à tous, aux jentis comme aux gadjos, de veiller à l'harmonie de nos rapports, pour le bien de chacun. Nous avons besoin les uns des autres, mais chacun doit rester à sa place, et il n'est pas question de vouloir devenir comme l'autre.

Il s'interrompit alors pour m'interpeller :

– J'ai l'impression que vous n'êtes pas convaincu.

– Sans doute parce que je ne vois pas du tout de quoi vous parlez, répondis-je.

– Ah ! Merci, dit-il. Je serai donc plus direct. Je ne veux plus d'héroïsme de la part de gadjos. Il n'est pas question que vous fraternisiez avec les jentis de votre classe. Pas question de briser les barrières établies. Cela porte préjudice aux relations délicates dont je vous parlais tout à l'heure. Est-ce que je me fais bien comprendre ?

– Alors, vous voulez que je sois comme Blatt, Barzini et Falbo ?

– Nous connaissons les familles de ces jeunes hommes depuis des générations. Ils comprennent donc comment nous fonctionnons, et c'est heureux pour nous. Je vous conseille de suivre leur exemple.

– Je ne saisis pas très bien. Vous semblez me parler d'un événement qui ne s'est pas produit au lycée. Ce que je fais ailleurs ne vous regarde pas.

– J'occupe une place assez élevée au sein de cette communauté pour en avoir une vue d'ensemble, fit Horvath. Contrairement à vous, je sais à quel point notre tissu social est complexe. Je ne veux en aucun cas ignorer ce que vous avez fait pour maître Warrener. Une noble action, certes, mais qui risque d'altérer nos rapports au sein de cette communauté, ainsi qu'avec nos voisins. De plus, votre présence à la fête de Mlle Antonescu était tout à fait regrettable.

– Une minute ! dis-je en sautant de ma chaise comme mon père lorsqu'il soulève une objection au tribunal. Pour qui vous prenez-vous, à me dicter ainsi ce que je peux faire ou non ? J'étais invité, bon sang !

– Vous vous méprenez, fit Horvath d'un ton mielleux. Asseyez-vous. Ce n'est certainement pas à moi de dire aux Antonescu quelles personnes ils peuvent inviter ou non chez eux.

– Sans blague !

– Surveillez votre langage. Vous n'êtes pas dans un vestiaire de gadjos ici. Et je vous ai déjà dit de vous asseoir, rétorqua Horvath.

Je m'assis jambes croisées, et il répéta sa tirade au sujet des Antonescu et des invités qu'ils pouvaient librement recevoir chez eux.

– Mais, franchement, reprit-il, votre présence samedi soir en a choqué plus d'un. Des gens presque aussi importants que les Antonescu, d'ailleurs.

– Comme Grégor Dimitru, par exemple ?

J'avais dû taper dans le mille, car Horvath fit semblant de ne pas entendre ma remarque.

– C'était très généreux de vous inviter, de la part des Antonescu. Mais c'était une erreur de jugement. Si vous aviez été élevé ici, vous auriez eu la sagesse de refuser. Permettez-moi de citer un des excellents poètes de la Nouvelle-Angleterre. Vous avez entendu parler de Robert Frost, j'espère ?

J'acquiesçai d'un signe de tête et il continua :

– Dans *Mur réparateur*, il nous dit : « Les bonnes clôtures font de bons amis. »

Je connaissais ce poème, pour l'avoir lu dans le manuel de littérature de Shadwell.

– Est-ce dans ce poème qu'il dit également : « Quelque chose en moi n'aime pas les murs » ? demandai-je.

Horvath me foudroya du regard.

– Monsieur Horvath, déclarai-je en m'efforçant de maîtriser ma voix, qui tremblait de colère et de peur. Quand je suis arrivé ici, vous m'avez dit qu'il y aurait des choses qui risquaient de me surprendre au début. Vous m'avez dit aussi que je pouvais venir vous voir pour en parler avec vous. Eh bien, je ne suis pas d'ici, comme vous vous acharnez à me le répéter. J'agis d'une façon qui vous semble étrange. Aussi, je vais vous expliquer : premièrement, je me lie d'amitié avec qui je veux ; deuxièmement, je n'apprécie pas du tout que vous me dictiez la conduite à adopter quand je ne suis pas sur le campus ; troisièmement, vous n'avez encore rien vu. Est-ce clair ?

– Sortez de mon bureau ! tonna Horvath.

Je ne me le fis pas dire deux fois.

15

Mots et silences

Je n'avais pas besoin que Justin m'en parle pour savoir que Horvath m'avait dans le collimateur, mais il le fit quand même.

Depuis l'anniversaire d'Ileana, Justin avait pris l'habitude de me retrouver au natatorium en fin d'après-midi, les jours où nous n'allions pas travailler chez lui. Il arrivait après le départ des autres gadjos et m'observait, l'air de se demander comment je m'y prenais pour nager. Comme tous les jentis, il détestait l'eau, et pourtant elle semblait exercer sur lui une étrange fascination.

Un jour, je le vis assis sur le plongeoir. Je baissai la tête et nageai sous l'eau pour le rejoindre, lentement, en faisant bien attention à ne pas l'éclabousser.

– Hé, vieux, tu ferais mieux de t'écarter de là. Les plongeoirs sont dangereux pour la santé des jentis !

– Je voulais juste voir comment on se sent quand on est entouré d'eau, sourit-il.

– Et alors ?

– Rien de spécial tant qu'on n'est pas dedans. Au fait, dit-il d'un air sombre, sais-tu que Horvath cherche un autre gadjo pour te remplacer ?

– Non. Qui t'en a parlé ?

– Une fille qui travaille comme bénévole dans son bureau après les cours. Il a passé un tas de coups de fil en ville pour trouver un gadjo prêt à venir ici. Il veut te virer.

– Me virer ? Pour quelle raison ?

– C'est lui le directeur, il inventera n'importe quoi. C'est la fille qui m'a demandé de t'avertir.

– Tu as bien fait de me mettre au courant, répliquai-je d'un ton brusque.

Je nageai jusqu'au bord de la piscine en battant si furieusement des pieds que je faillis éclabousser Justin. Ce crétin de Horvath ! Il trouve un gadjo qui veut bien de son lycée, et après il n'a plus qu'une envie : s'en débarrasser.

– Il est très en colère contre les profs également, continua Justin. Il veut les contraindre à te donner des notes bidon, mais ils refusent. Ne t'inquiète pas trop. De toute façon, il ne peut pas te virer tant qu'il n'a pas de remplaçant. Et il aura du mal à en trouver un. Les gens ont peur d'inscrire leurs enfants à Vlad Drac, et méprisent ceux qui le font. La plupart des gadjos viennent ici uniquement parce qu'ils se sont plantés partout ailleurs.

« Comme si je n'avais pas déjà assez d'embêtements ! » pensai-je, appuyé contre le rebord de la piscine, en secouant la tête. Malgré l'aide de Justin, d'Ileana et de Mme Vuko-vitch, je pédalais dans la choucroute. J'apprenais pourtant un tas de choses… mais plus j'apprenais, moins j'en savais. Mes notes de maths, d'histoire-géo et de sciences étaient pitoyables; en sport, c'était très moyen, comme tout le monde. Au water-polo, j'excellais. En anglais, on ne serait notés qu'en fin d'année, mais j'allais certainement me ramasser une sale note. Je n'avais qu'une moitié d'épopée minable.

Mon plus grand sujet de préoccupation, c'était Ileana. Tout le monde se conduisait différemment avec moi depuis que j'avais laissé Justin faire le plein le jour de la fête, mais l'attitude d'Ileana avait complètement changé. Pour un œil extérieur, tout semblait pareil qu'avant. Après les cours, ou à la cantine, nous étions ensemble, et Illyria continuait à s'agrandir. Nous observions parfois la vieille tradition gadjo qui consiste à traîner sans but. Mais le silence qui s'était imposé entre nous était encore palpable. C'était un silence chargé de mots. Ceux qu'elle voulait que je prononce. Je le savais et je connaissais ces mots. Mais étais-je prêt à les dire?

J'avais l'impression d'être un marin débarquant de nuit sur la côte d'Illyria, pour la première fois, et se demandant ce qui arriverait s'il mettait le pied à terre.

Le vendredi, nous nous retrouvâmes tous les trois dans la cave de Justin. Il installa un nouveau port dans la ville de Trois-Collines, et je construisis une bibliothèque près de la mairie de Palmyre. Ileana nous regardait, pelotonnée sur sa chaise.

– Mme Shadwell s'en occupera, dis-je à Ileana. Une aile de la bibliothèque sera réservée aux œuvres d'Anaxandre et de Vasco, près de la partie consacrée à Dracula. Ce sera bien sûr une aile importante. Tes poètes ont encore quelques livres à écrire pour la remplir.

– Ils ne peuvent plus chanter leurs vieilles chansons, répondit-elle. Et ils voudraient entendre les nouvelles.

– Oh, fis-je.

Elle poussa un soupir.

Durant le week-end, mes parents eurent une idée inhabituelle : ils décidèrent d'aller au cinéma.

– On aimerait bien que tu viennes avec nous, dit Papa. Si on peut t'arracher à tes devoirs pendant deux heures…

J'acceptai la proposition sans hésiter car je n'arrivais pas à me concentrer. Je passais tout mon temps à ruminer la scène de vendredi avec Ileana.

– Ce n'est pas la bonne direction ! lançai-je à Papa alors que nous étions déjà sur l'autoroute. Le multiplexe est de l'autre côté de l'échangeur.

– Il y a bien longtemps, avant que notre civilisation découvre le fin du fin cinématographique avec l'avènement des complexes de vingt salles toutes cloisonnées de polystyrène, les cinémas se trouvaient dans les centres-ville, et n'avaient qu'un seul écran, dit Papa. C'est dans ce genre d'endroit que nous allons aujourd'hui.

– Il s'agit d'un cinéma d'art et d'essai, expliqua Maman. On y passe des films qu'on ne voit nulle part ailleurs.

– Ça fait une éternité que nous avons l'intention d'y aller, dit Papa. Mais j'étais bien trop occupé. D'ailleurs, je le suis encore, mais ta mère et moi, on ne voulait surtout pas rater ce film.

– Qu'est-ce que c'est ?

– *La Belle et la Bête*, annonça Papa.

– Il n'y a pas de quoi en faire tout un plat. On l'a vu quand j'étais petit.

– Non, celui-ci, c'est le véritable film, dit Papa.

– Par Jean Cocteau, ajouta Maman. Un classique du cinéma français.

De l'extérieur, je vis immédiatement qu'il s'agissait d'un cinéma tenu par des jentis. Le bâtiment avait cet aspect respectable et suranné qu'ils appréciaient et qui allait si bien avec les voitures anciennes garées devant.

Quand Papa s'approcha du guichet, l'employée le regarda d'un air effaré, comme s'il débarquait d'une autre planète. Puis elle m'aperçut et s'écria : « Un moment, monsieur ! » avant de disparaître.

Une minute plus tard, un jenti en smoking vint à notre rencontre.

– Maître Elliot, monsieur et madame Elliot, je m'appelle M. Chernak. J'ai l'honneur de diriger cet établissement. Suivez-moi, je vous prie.

– Nous n'avons pas encore acheté nos billets, fit Papa.

– C'est la première fois que vous venez, n'est-ce pas ? demanda M. Chernak. Vous serez nos invités aujourd'hui, dit-il en poussant une porte.

Nous le suivîmes dans la salle, jusqu'à nos places.

– Que puis-je vous offrir ? demanda-t-il. Nous avons toutes sortes de boissons et de douceurs, et tout un choix de thés, cafés, chocolats chauds.

– Non, merci. Ça ira, dit Papa, l'air gêné.

À voir l'expression de M. Chernak, on aurait pu croire qu'il venait de recevoir un coup de poignard.

– Rien ? haleta-t-il. Monsieur, notre double café à la chantilly serait un parfait accompagnement pour voir ce film. Je vous le recommande vivement.

– Oui, merci, dit Maman, soucieuse de ne pas le vexer. Pouvons-nous en avoir trois ?

Quand M. Chernak revint, un peu plus tard, avec trois grandes tasses de café recouvert de crème fouettée, le rideau (ce cinéma était pourvu d'un rideau) se leva.

– Voici vos cafés, dit-il. Passez une très bonne soirée.

– Pourquoi ai-je l'impression que je viens d'être adoubé par Vlad l'Empaleur ? demanda Papa.

– Chut ! lui souffla Maman.

Voilà dans quelles circonstances je vis *La Belle et la Bête*. C'est un très bon film, et je vous le recommande. Mais n'allez surtout pas le voir quand vous essayez de ne pas penser à l'amour…

•

Le lundi fut plutôt morne jusqu'à ce que je retrouve Ileana. Elle occupait toutes mes pensées. En fait, je pensais tellement à elle que je pus à peine lui parler. Elle n'attendait qu'une chose : que je lui dise ce qu'elle voulait entendre.

Le repas de midi, que nous prîmes tous les trois à la même table que Brian Blatt, m'apporta un léger soulagement, car, en sa présence, personne ne parla. Je fus presque désolé de le voir partir mais, comme d'habitude, il mangea rapidement. Ileana ne décoinça pas un mot. Moi non plus.

Justin fut le premier à briser le silence.

– Il fait meilleur aujourd'hui, dit-il.

À ce moment-là, une ombre se profila sur la table, et nous levâmes les yeux vers… Grégor. Il fit une petite révérence et s'adressa à Ileana, dans leur langue.

Elle lui répondit d'un seul mot que je ne compris pas. Puis elle continua en anglais :

– Tu peux parler en anglais, ici, Grégor, dit-elle. Tout le monde le parle à cette table.

– Ce que j'ai à dire n'est pas pour les oreilles de tout le monde, rétorqua-t-il.

– Alors ce n'est pas pour les miennes, répliqua Ileana.

– Puis-je m'asseoir, princesse ?

– Oui, répondit-elle. Si tu te conduis correctement.

Grégor tira d'un coup sec sur la chaise libre et se planta dessus en soufflant comme une locomotive, les poings posés sur la table.

– Je m'excuse, dit-il à Justin, pour ce qui s'est passé au bord du ruisseau.

Justin baissa les yeux sur son assiette.

– Tu t'attends sans doute à ce que je dise : «Ce n'est rien !» finit-il par répondre. Mais je ne peux pas. Ce n'est pas un geste anodin. Vouloir jeter l'un de nous dans l'eau, c'est presque un acte criminel.

– Il n'y avait pas tant d'eau que ça, lâcha Grégor.

– C'est vrai, admit Justin. Mais moi, je ne t'avais rien fait.

– Si tu avais fait quelque chose, je ne serais pas venu m'excuser, dit Grégor. Mais j'avais quelque raison de penser le contraire. Voilà pourquoi j'ai agi ainsi, même si j'ai eu tort.

– D'accord. Quelles étaient donc tes raisons ? demanda Justin.

– Comme je l'ai dit tout à l'heure, ce n'est pas pour les oreilles de tout le monde, répéta-t-il.

Grégor semblait bizarre, on aurait dit qu'il rougissait.

Soudain, je compris. Il avait pensé qu'il y avait quelque chose entre Justin et Ileana ! Voilà pourquoi il avait agi ainsi.

– Si tu as un truc à me dire, dis-le-moi devant mes amis, fit Justin. Sinon, je ne tiens pas à l'entendre.

– Tu refuses donc mes excuses ? demanda Grégor.

– Je ne peux pas les accepter, dit Justin. Désolé.

Grégor se leva, furieux.

– Dans ce cas, je les retire ! s'écria-t-il.

Puis il ajouta quelques mots dans la langue des vampires, et je vis le visage d'Ileana se décomposer.

– Qu'a-t-il raconté ? demandai-je quand il fut parti.

– Des idioties, répliqua Justin.

– Pire que des idioties, répondit Ileana. Une chose ignoble. À la fois une menace et une insulte. Il a lancé à Justin : «Puisse ta dernière dent pourrir dans ta tête.» Il n'y a rien de pire comme insulte chez nous.

– Inutile de lui répéter le reste, intervint Justin.

– Je pense que je dois le dire, fit Ileana. Il a insinué que toi et Justin, vous étiez amants.

En voyant Justin plié en deux comme si Grégor lui avait donné un coup de poing à l'estomac, je sentis la colère monter en moi, prête à exploser. Je me levai, bien décidé à le défendre. Il m'avait défendu, lui, contre Brian Blatt ; c'était mon tour.

– Hé, Grégor, criai-je. J'ai entendu dire que ta mère était si grosse que les astronautes ont cru que la Terre avait une bosse.

Grégor se retourna. On n'entendit plus un bruit dans le réfectoire.

– Ouais, continuai-je sur ma lancée. On m'a dit que ta mère était si grosse que la marque de ses vêtements, c'est plus «Petit Bateau», c'est «Gros Paquebot».

Il s'avança vers moi, puis s'arrêta. Quelques-uns s'esclaffèrent derrière lui.

– Hé, Grégor, tu sais quoi? ajoutai-je. Ta mère est si grosse que, quand elle prend sa voiture, elle est obligée de marquer «convoi exceptionnel».

Presque tout le monde éclata de rire.

Grégor pivota sur lui-même. Cette fois, toute la salle se mit à glousser.

Puis il se retourna vers moi et je vis que je l'avais blessé. Il avait les yeux embués de larmes. Il leva les poings. Son visage s'empourpra. Il retroussa les lèvres, montrant ses dents qui s'étaient allongées. Debout, immobile, il tremblait de rage tandis que les rires s'éteignaient.

– C'est juste ce qu'on m'a dit, dis-je en haussant les épaules.

Grégor sortit précipitamment du réfectoire. Une dernière cascade de rires se fit entendre.

Justin se balançait d'un côté à l'autre, riant dans ses mains.

Ileana était furieuse. Elle fixait son assiette, la main serrée sur sa fourchette. Elle avait le visage aussi rouge que Grégor.

– Qu'est-ce qui t'a pris d'agir ainsi? me demanda-t-elle d'un ton glacial.

– C'est à cause de ce qu'il a dit sur Justin et moi, évidemment.

– Tu t'es conduit bien plus mal que lui.

– Certainement pas.

– Si, puisque c'est sa mère que tu as insultée, et non lui, répliqua-t-elle. Et tu l'as fait uniquement parce que tu sais que tu es marqué et qu'il ne peut pas te toucher.

– C'est faux ! m'écriai-je.

Et j'étais sincère. Sous la colère, j'avais complètement oublié toute cette histoire de gadjo marqué.

– Je ne peux pas croire que tu le défendes, continuai-je.

– Je ne défends personne, dit Ileana. Tu as eu tort d'agir ainsi.

– Ce n'est pas mal agir que défendre ses amis.

– Tu t'y prends d'une drôle de façon, riposta Ileana. Aucun jenti n'aurait dit des choses pareilles. Tu devrais avoir honte. Moi, j'ai honte d'être assise à côté de toi.

– Honte ? criai-je. Rappelle-toi, princesse, que je ne suis pas un jenti.

À ces mots, toutes les têtes se tournèrent vers nous.

– Non, souffla Ileana à voix basse. Tu n'es pas un jenti. D'ailleurs, tu n'es pas ce que je croyais. Tu es un menteur, un porc et un sale gadjo. Je ne veux plus jamais m'asseoir près de toi.

Elle se leva, traversa la salle et s'installa avec des filles.

Je la suivis des yeux et sentis le regard des jentis. Ils nous observaient. Quelque chose avait changé dans l'atmosphère de la salle. J'avais l'impression de retourner en arrière.

– Quelle mouche l'a piquée ? marmonnai-je.

— Ileana a un sens aigu de la dignité, fit Justin en secouant la tête. Tu l'as blessée, en agissant ainsi en sa présence.

— Qu'est-ce que j'aurais dû faire ? Le laisser nous insulter sans réagir ?

— J'apprécie ce que tu as fait pour moi, dit Justin. Mais je ne suis pas Ileana.

— Qu'est-ce qu'elle a voulu dire par : « Tu n'es pas celui que je croyais » ?

— Ce qu'elle a dit, je suppose, répliqua Justin. À toi de voir.

— Je ne suis qu'un idiot de gadjo. Pas digne de fréquenter des princesses.

— On se voit tout à l'heure, en cours de sciences, dit Justin, alors que je me levais pour partir.

Je ne répondis rien.

•

Le cours de sciences eut lieu sans moi. À quoi bon y aller ? Que Mme Vukovitch parle en anglais ou en jenti, ça revenait au même. Et même quand Justin passait une heure à m'expliquer la leçon après les cours, je ne comprenais toujours pas. Comment aurais-je pu y arriver ? Je n'avais pas les mêmes bases que les autres élèves.

Mais ce n'était pas vraiment ça qui m'ennuyait. Je savais déjà que je n'étais pas assez bon pour ce lycée. Me rendre compte que je n'étais pas assez bien pour Ileana, c'était pire. La belle, brillante et royale Ileana qui faisait toujours tout à la perfection, parce qu'elle connaissait les règles. Moi, je ne les connaîtrais jamais.

À la simple idée de mon « épopée », j'avais envie de rentrer sous terre. Quand j'avais quitté le lycée Cotton Mather, on n'en était qu'à la page 12 de *Macbeth*. Ce rythme d'escargot me convenait parfaitement. Peut-être aurais-je dû y retourner pour voir s'ils avaient dépassé le premier acte. Mais ça n'aurait pas changé grand-chose. Ma place n'était pas là-bas non plus.

Mes pas me conduisirent de nouveau vers le ruisseau. Il était encore plus petit que lorsque Grégor et son gang avaient voulu y jeter Justin. Un malheureux filet d'eau s'écoulait rapidement dans la neige sale, sous un ciel tout aussi sale. Une eau qui semblait perdue et n'allait nulle part.

Je promenai mon regard sur les beaux bâtiments des alentours. Derrière les vitres fumées, faiblement éclairées, des inconnus élégants et calmes se consacraient à l'étude. Je ne leur arrivais pas à la cheville.

Et Ileana était leur princesse.

Peu importait la somme d'efforts que je pouvais déployer, je ne serais jamais à la hauteur.

Je pris le chemin de la maison. J'avais une bonne marche à faire.

16

Brams

Maman s'étonna de me voir arriver de bonne heure, et à pied de surcroît, mais elle me crut lorsque je lui annonçai que je ne me sentais pas très bien.

– Avec ce vilain temps d'hiver, je suis même surprise que nous ne soyons pas plus souvent malades, dit-elle.

– Je ne suis pas exactement malade, répondis-je. Je me suis froissé un muscle en cours de sport, mais, dans un jour ou deux, ça ira mieux.

Je montai les escaliers en boitillant, et allai directement dans ma chambre, sans même allumer la lumière.

Justin téléphona ce soir-là.

– Comme je ne t'ai pas vu en classe, je voulais savoir si tout allait bien, dit-il.

– Non, ça ne va pas, répondis-je.

– Je peux faire quelque chose ? demanda-t-il, après un moment de silence.

– Non.

– Bon, à demain, fit-il.

– Non, pas à demain.

– OK, dit Justin. À mercredi alors.

– Je ne sais pas, répondis-je. Je ne sais pas quand je vais revenir, ni même si je vais revenir.

– Bon, dit-il, et il s'arrêta un moment pour réfléchir. Aimerais-tu venir à la maison vendredi après les cours ? On pourrait jouer à Illyria.

– Non, pas cette semaine.

Justin poussa un soupir.

– À bientôt, fit-il.

Il existe un état qui est pire que le cafard, et pire que tout. Les minutes sont alors aussi longues que des heures, et chaque heure qui passe vous donne l'impression de n'avoir accompli que des choses inutiles. Tout vous fait souffrir. Je me trouvais dans cet état-là, à mille lieues des plaisirs d'Illyria. Et je ne pouvais en parler à personne. Drapé dans ma honte et ma souffrance, je restai enfermé dans ma chambre.

Lorsque Papa me demanda ce qui n'allait pas, je lui répondis par un seul mot : « Rien. » Maman voulut m'emmener chez un médecin, mais je refusai. Ils préférèrent me laisser tranquille, sans doute parce qu'ils se doutaient que je souffrais d'un mal pour lequel il n'y avait aucun remède.

Justin appela à six reprises. Trois fois le premier jour, deux fois le deuxième, puis une fois le surlendemain. Maman prit les appels.

Pas de nouvelles d'Ileana.

Le lundi, Papa annonça, derrière ma porte :

– Cody, soit tu retournes en cours aujourd'hui, soit je t'emmène à l'hôpital.

– Ce serait une perte de temps, répondis-je.

– Quoi ? Le lycée ou l'hôpital ? demanda-t-il.

– Les deux. Et si on rentrait chez nous ?

Il entra dans ma chambre et s'assit sur mon lit.

– Non, Cody. J'aimerais beaucoup, mais c'est impossible.

Je levai la tête, surpris.

– Tu veux dire que tu as envie de retourner en Californie ?

– Pour moi aussi, c'est chez moi, soupira-t-il. Tous les jours, quand je me lève, j'aperçois cette neige sale dans le jardin ; ça me donne des envies de suicide.

– Alors qu'est-ce qu'on attend pour partir d'ici ? demandai-je.

– Je ne peux pas, à cause de ma carrière. En Californie, j'étais dans une impasse. Tu sais que je ne me plaisais pas du tout chez Compte et fils, mais je ne t'avais jamais vraiment expliqué pourquoi. En fait, non seulement ils me refusaient toute promotion, mais ils racontaient à tous les autres cabinets juridiques que je n'étais pas aussi bon que j'en avais l'air. Ainsi, ils étaient sûrs que je n'irais pas travailler pour des concurrents, expliqua Papa.

Je n'en revenais pas que des adultes puissent se comporter ainsi. Puis je pensai à Horvath…

– J'ai donc écrit à quelques amis du Massachusetts, poursuivit Papa. Tu sais que j'ai fait mes études de droit ici. Grâce à eux, j'ai pu être admis au barreau d'office, dans cet État.

– Sans repasser les examens ?

– Oui, fit Papa en hochant la tête. Et Blanchard, Roublé et Croquin m'ont engagé sur-le-champ. Je peux enfin être le genre d'avocat que je rêvais de devenir pendant ces trois pénibles années d'études de droit. Soit dit en passant, grâce à cet emploi, j'ai maintenant les moyens de vous offrir une bien meilleure qualité de vie, à ta mère et à toi.

– De quelle qualité de vie veux-tu parler ? Tu n'es pas heureux, je ne suis pas heureux, et je suis sûr que Maman ne l'est pas non plus.

– Je te parle de choses comme cette maison, fit Papa. Tu l'aimes bien, non ?

– Ça va, mais dès qu'on met le pied dehors, on se rend compte qu'on est dans le Massachusetts.

– Je sais bien que tu ne te plais pas ici, Cody. Mais n'oublie pas que tu n'es pas obligé d'y passer le restant de ta vie. Dès que tu auras terminé le lycée, dans un peu plus de trois ans, tu pourras continuer tes études en Californie. Je suppose que tes notes à Vlad Drac seront aussi bonnes que celles des autres élèves. Ta mère et moi, nous sommes heureux ensemble, et j'ai mon travail. Que tu le veuilles ou non, j'en retire beaucoup de satisfactions. Dans quelques années, si je gagne quelques procès intéressants, on pourrait même rentrer, ta mère et moi. Qui sait ! Il est possible que nous prenions une retraite anticipée. Les affaires marchent très bien chez Blanchard, Roublé et Croquin.

Pour la première fois, je pris conscience des différences qui nous séparaient, mes parents et moi. Je me fichais éperdument d'une vie confortable sur le plan matériel, si je devais acquérir ce confort aux dépens du bien-être familial. Et nul doute que, si j'étais le père d'un enfant dans mon genre, je lui aurais demandé ce qui n'allait pas, au lieu de me justifier comme il venait de le faire. Mais Papa, c'était Papa. Il était comme il était, et ne pouvait pas être quelqu'un d'autre. Du moins pas avec moi. Dommage pour ma pomme.

— Si quelque chose ne va pas au lycée, je peux peut-être me rendre utile, suggéra Papa. Veux-tu que je parle à Horvath ?

— Non, dis-je en me levant. Je me prépare et j'y vais.

Mon corps alla donc en cours le vendredi. Il s'assit en classe et prit quelques notes, je crois. Puis il se sustenta à l'heure du déjeuner, et s'activa pendant le cours de sport. Il ignora Ileana, adressa la parole une fois ou deux à Justin. Sans moi. Je n'y étais pas du tout. Je ne sais pas où j'étais.

Finalement, je me rendis dans le natatorium. Seul, comme d'habitude. Je n'avais aucune idée de l'endroit où se trouvaient les autres Empaleurs.

En sortant des vestiaires, je m'étalai par terre en trébuchant sur je ne sais quoi. Barzini surgit brusquement de derrière une porte, et en profita pour me flanquer des coups de pied. Il avait ses chaussures.

Alors que je tentais de me relever, j'aperçus Louis Lapierre et Brian Blatt, reliés par un fil de pêche transparent qu'ils tenaient à hauteur des chevilles... Évidemment, ils ricanaient comme des hyènes.

– Tu connais la nouvelle, stoker ? lança Barzini. Horvath a trouvé un autre gadjo. C'est mon frère. Il commence lundi. On n'a plus besoin de toi maintenant !

Sur ce, il me flanqua un coup de pied dans les côtes. Alors que j'essayais de me relever, Blatt et Lapierre me coincèrent à terre.

– Tu pensais qu'on t'avait oublié, hein, stoker ? continua Barzini, ponctuant sa phrase d'un autre coup de pied. Je t'avais prévenu que t'allais crever !

– Tu penses trop, gloussa Blatt.

– Vas-y, Barzini ! s'écria Lapierre.

Barzini se déchaîna. Je pouvais à peine respirer, et j'étais persuadé que le prochain coup allait me casser les côtes. Mais il n'y eut pas de prochain coup, car soudain j'entendis Barzini pousser un hurlement et la voix de Justin qui disait quelque chose du genre :

– Ce n'est pas bien, ce que tu fais là.

Une seconde plus tard, Barzini vola au-dessus de ma tête, et atterrit en plein milieu de la piscine, avec un gros « plaf ! »

Suivi de Brian Blatt, qui brailla un appel au secours se muant en un cri de douleur.

Lapierre supplia, puis maudit Justin, qui le ramassa et le propulsa au-dessus de sa tête. Un autre « plaf ! » résonna, et les trois énergumènes se retrouvèrent dans l'eau, égrenant un chapelet d'injures à notre intention.

Debout, les bras croisés, au bord de la piscine, Justin les regardait sans ciller, conscient de sa force de vampire. Il en avait autant que n'importe quel autre jenti quand il se décidait à l'utiliser. Je me souvenais de ce petit bras mince qui m'avait retenu sans aucune difficulté lors du quinzième anniversaire d'Ileana.

J'essayai de me lever. Barzini m'avait fait plus de mal que Grégor ou Ilie, mais j'avais l'impression que ça allait à peu près. Si j'ose dire… J'avais atrocement mal et je n'arrivais pas à me décoller du sol.

Barzini fit quelques brasses pour traverser la piscine et voulut monter sur le bord.

– Pas question, intima Justin. Tu sortiras quand on te le permettra.

Barzini l'envoya au diable.

– Tu veux vraiment que je m'énerve ? dit Justin qui, soit dit en passant, devait être assez furieux, puisqu'il avait sorti ses dents.

– Allez, laisse-nous sortir, geignit Lapierre. On est tout habillés.

Justin secoua la tête.

– Tu veux que je les laisse partir ? me chuchota-t-il.

– Ouais, d'accord, dis-je.

Les yeux de Justin étaient animés d'une lueur encore plus terrifiante que ses dents.

– Bon, vous pouvez filer, annonça Justin. Mais si vous vous attaquez une fois de plus à Cody, vous n'êtes qu'un ramassis de brams. Vous saisissez?

Il suffisait de voir l'expression sur les visages de Blatt, Barzini et Lapierre pour se rendre compte qu'ils avaient compris le message de Justin. Ils sortirent précipitamment de la piscine et détalèrent vers les vestiaires.

Justin se tourna vers moi et murmura:

– J'ai toujours rêvé de dire un truc de ce genre.

– Je te remercie, soufflai-je. Si tu n'étais pas venu, ils m'auraient écrasé comme une galette.

Il hocha la tête.

– Et maintenant, ça va? demanda-t-il.

– Pas aussi bien que d'habitude, mais je n'ai rien de cassé.

– Asseyons-nous une minute, dit Justin. Le temps que ces brams dégagent d'ici.

Avec son aide, je boitillai jusqu'au banc le plus proche.

– Comment se fait-il que tu sois arrivé juste au bon moment? m'étonnai-je. Tu ne devais pas être à la bibliothèque?

– Oh, j'avais entendu dire que ça risquait d'arriver, dit-il. Ces types-là parlent très fort.

Je sentis ma gorge se nouer.

– Tu sais quoi? dis-je quand je pus me ressaisir. Tu es le meilleur ami que j'aie jamais eu.

– Je peux dire la même chose de toi, fit Justin.

Les portes extérieures du natatorium claquèrent. Les fenêtres situées au-dessus des gradins n'étaient plus éclairées par la lumière du jour. Dans la piscine, l'eau était noire, maintenant.

– Est-ce que tu voudrais bien m'aider à rentrer chez moi? demandai-je enfin. Tu pourrais rester manger si tu veux.

– Bien sûr, répondit mon meilleur ami.

17

Conversation entre Horvath et Charon

Justin m'aida à grimper dans la limousine et me raccompagna chez moi.

Maman piqua une crise en nous voyant à la porte et téléphona à Papa pour qu'il rentre immédiatement. À peine m'eut-il regardé qu'il parlait déjà d'intenter un procès contre le lycée, la municipalité, les familles des autres garçons de l'équipe et l'État du Massachusetts. Nous nous efforçâmes, Justin et moi, de les calmer.

Une fois rassérénés, Papa et Maman adoptèrent Justin et décrochèrent la lune pour lui – j'exagère un peu, mais pas tant que ça. Je décidai de leur dire la vérité, à savoir que, sans l'intervention de Justin, les autres m'auraient réduit en miettes. Ils ne me demandèrent pas comment un petit gabarit comme lui s'y était pris pour vaincre mes agresseurs, et je me gardai bien de le leur expliquer. Il m'avait sauvé la peau. Voilà ce qui comptait pour eux. Ils ne lésinèrent pas sur les compliments à l'adresse de Justin. Sans doute n'en avait-il pas reçu tellement dans sa vie, car il rayonnait de bonheur.

Plus tard, Papa nous conduisit chez Justin et se présenta à Mme Warrener. Il ne tarissait plus d'éloges sur son fils. Mon ami était si heureux qu'il en pleurait presque. À le voir ainsi réjoui, j'en oubliai mes douleurs et mes blessures.

Ce fut le bon côté de la chose. Ça, et le fait de me faire servir à la maison comme un prince, pendant les deux jours où je restai au lit.

•

Ce fut moins drôle le lundi quand je retournai à Vlad. Papa et Maman voulaient me garder encore à la maison, mais je ne tenais pas à offrir ce plaisir à mes « potes » de l'équipe.

Il s'avéra que je n'avais aucun souci à me faire à leur sujet.

Vers neuf heures, Mme Prentiss vint me chercher pendant le cours de maths. J'étais convoqué chez Horvath.

Justin était déjà là, recroquevillé sur le grand divan. Comme d'habitude, Charon était sous la table. Il leva les yeux vers moi.

— Maître Cody, installez-vous, fit Horvath d'un ton qui ne présageait rien de bon.

Je m'assis près de Justin. Horvath commença à arpenter la pièce, devant nous.

— Est-ce que vous vous rendez compte, tous les deux, de ce que vous avez fait à cet établissement ? finit-il par demander.

Ce qu'on a fait à cet établissement ? Rien du tout ! On n'a
absolument rien fait ! À quoi ça rime tout ça ?

– Par votre faute, nous venons de perdre nos trois
meilleurs joueurs de water-polo, dit Horvath. Sans oublier
le désistement d'un nouveau membre de l'équipe, poursuivit-il en élevant la voix. Ce matin, j'ai reçu des appels
fort désagréables des familles Blatt, Barzini et Lapierre,
qui retirent toutes les trois leurs enfants de notre établissement, parce que vous les avez sauvagement attaqués sans
raison vendredi dernier.

– Un instant, m'écriai-je. Ce sont eux qui m'ont attaqué.
Justin a juste…

– Taisez-vous, répliqua sèchement Horvath. À cause de
vous, Vlad Drac n'a plus assez de joueurs pour participer
aux prochaines épreuves de qualification qui ont lieu
dans quelques jours seulement. Nous serons donc mis
sur la touche, et nous risquons de perdre notre licence si
les matchs ne peuvent pas être rattrapés. C'est l'existence
de l'école elle-même qui est en jeu. Est-ce que vous savez
à quel point il est difficile de recruter un gadjo pour notre
établissement ?

Il grommela quelques mots dans sa langue et je fus bien
content de ne pas comprendre. Puis il poursuivit, d'un ton
un peu plus calme :

– Si nous avions pu convaincre les trois familles de
maintenir leurs enfants en échange de votre renvoi à tous
les deux, vous seriez déjà partis. Malheureusement, elles

ont refusé. Par crainte qu'un autre élève ne les attaque de nouveau sans raison, comme l'a fait Justin vendredi.

Puis, se tournant vers Justin, à qui ces nouvelles avaient coupé le souffle, il ajouta :

– Jamais je n'aurais imaginé que vous puissiez vous déchaîner ainsi. Vous, vous qui avez grandi en sachant quels efforts nous avons dû déployer pour nous faire accepter ici, dans cette ville. Cette ville qui est pour nous tous un véritable refuge. Votre acte risque d'avoir des répercussions bien au-delà de nos murs.

– Je suis désolé, fit Justin en baissant la tête.

– Vous pouvez l'être, en effet, maître Justin, rétorqua Horvath. On ne peut pas raisonnablement s'attendre à ce que maître Cody se conduise autrement qu'il ne l'a fait. Mais vous ! Vous qui avez toujours su ce que nous attendions de votre part…

– Je sais ce qu'on attend de moi, monsieur, dit Justin.

– Alors vous reconnaissez que votre conduite est inexcusable. Très bien, car, si j'ai encore besoin de ce gadjo, je n'ai par contre plus besoin de vous. Au contraire. Aussi ai-je décidé de vous renvoyer. Vous ne serez plus jamais autorisé à revenir à Vlad Drac.

Justin devint pâle comme un linge.

– Un moment ! m'écriai-je. Ces trois garçons m'ont agressé. Barzini voulait me réduire en bouillie pendant que les deux autres me retenaient à terre. Vous affirmez que Justin aurait dû les laisser faire ?

– Ça suffit ! me cria Horvath, en levant le doigt à la hauteur de mon nez.

Il avait de très longs doigts et des ongles pointus.

– Désormais vous devrez…

Je ne sus jamais ce qu'il voulait dire car, à ce moment-là, Charon leva la tête et regarda Horvath. Un simple mouvement de la tête. Et Horvath arrêta de me parler. Il s'adressa alors à Charon, uniquement.

– Tu ne comprends pas, disait-il au loup. Ce n'est pas aussi simple qu'ils veulent le faire entendre.

Il y eut un silence, mais un silence riche de sens.

– Mon attitude n'a rien de déshonorant, reprit Horvath, à l'adresse du loup. Je veux simplement protéger l'établissement.

Il se tut de nouveau. Charon continuait à le fixer de ses grands yeux jaunes.

– Non ! Je ne le ferai pas, s'exclama Horvath.

Charon s'adressa de nouveau à lui en silence, sans le quitter des yeux.

– Je refuse ! décréta alors Horvath.

À ce moment-là, l'expression de Charon se modifia. Elle n'avait pas l'air plus menaçante que d'habitude (Charon avait toujours eu un air menaçant), mais elle me rappelait la façon dont il m'avait regardé la première fois. Un mélange d'ennui et de mépris, dont Horvath se rendit compte lui aussi.

– Très bien, dit-il. Il semble que vous ayez plus ou moins raison, ajouta-t-il à notre intention. Dans un cas comme dans l'autre, il ne servirait à rien de vous punir. Le mal est fait. Vous pouvez partir.

La queue de Charon frappa le sol comme un coup de marteau.

Horvath se leva. Il prit une profonde inspiration et ferma les yeux.

– Sans doute ai-je parlé trop vite, dit-il, la gorge serrée. Je ne pensais qu'au sort de l'école. Si tel est… Je vous fais mes excuses.

Charon posa la tête par terre et ferma un œil.

Justin sortit avant moi. Parfaitement maître de lui, il se tenait droit comme un parapluie.

L'œil ouvert de Charon croisa mon regard. Je fis le premier geste qui me vint à l'esprit et le saluai comme un jenti.

Le grand œil jaune se ferma, puis se rouvrit.

Je n'aurais pas juré qu'il m'avait adressé un clin d'œil, mais ça ne pouvait guère être autre chose.

18

Baptême de l'eau

Si vous pensez que Tracy, Falbo et Pyrek regretteraient Barzini, Blatt et Lapierre, vous vous trompez. En fait, ils se réjouirent de leur départ. Et je me rendis compte que les Empaleurs ne s'aimaient pas du tout.

– Barzini et eux, c'étaient les pires déchets de l'équipe, me dit Tracy cet après-midi-là. Après toi, évidemment.

– Hé, Elliot, arrange-toi pour faire virer Tracy aussi, lâcha Falbo. C'est un abruti.

Tracy répondit que c'était Falbo l'abruti, et j'enfilai mon maillot pendant qu'ils poursuivaient leur débat.

Krofresh sortit de son bureau et me regarda d'un sale œil.

– Je n'autorise pas les bagarres dans mon équipe, déclara-t-il.

– Justin Warrener non plus, dis-je.

– Qui?

– Le gars qui a mis fin à la bagarre. La bagarre de votre équipe, répondis-je. Vous devriez faire sa connaissance un de ces jours.

— Je ne veux pas perdre mon temps avec des vampires à la noix, grogna Krofresh.

— Ils préfèrent qu'on les appelle «jentis», fis-je remarquer. Pour eux, le mot «vampire» est une insulte, qui les met en colère. Vous avez intérêt à vous méfier, entraîneur.

— Pas de bagarre dans mon équipe! glapit Krofresh.

Je m'avançai vers la piscine. Krofresh se traîna péniblement derrière moi.

— Écoutez-moi, bande de nuls, dit-il. Il faut qu'on se dégote trois types de plus pour cette équipe. On n'a qu'une semaine. Magnez-vous de les trouver sinon…

Il demeura un instant silencieux, imaginant peut-être une vie sans fauteuil, sans bière à décapsuler.

— Sinon, ça risque d'aller mal pour vous, conclut-il.

Il s'en retourna dans son bureau pendant que nous nous interrogions sur le sens de ses paroles.

— Qu'est-ce qui lui prend de nous demander ça? geignit Falbo.

— Parce qu'ils ne trouvent personne, répondis-je. Horvath a essayé, peut-être que Krofresh aussi. Mais ils ne doivent pas connaître grand monde. Vous autres, vous avez passé toute votre vie ici, non? Vous n'avez pas d'amis? Un frère, peut-être, comme Barzini?

— Pas moi, dit Falbo.

— Ses parents ont arrêté les essais quand ils se sont rendu compte qu'ils avaient raté Falbo, gloussa Tracy. Mais Pyrek a deux frères.

– Un de cinq ans, et un de vingt ans, observa ce dernier.

– Et une sœur? demandai-je. Rien ne nous interdit d'avoir une équipe de water-polo mixte.

Tracy me regarda d'un air dégoûté.

– Barzini t'a flanqué des coups de pied dans la tête ou quoi? fit-il.

– Notre prochain match, si on y va, est dans une semaine, dis-je. Si on ne trouve pas d'autres joueurs, on risque de retourner à Cotton Mather.

– Avec des devoirs, soupira Falbo.

– Et de vraies notes, paniqua Tracy.

– C'est ta faute, Elliot. À toi de trouver une solution, implora Pyrek.

– Bon, s'il ne nous reste plus que quelques jours à passer ici, je vais me la couler douce, lança Tracy, puis il se dirigea vers les vestiaires.

Falbo et Pyrek lui emboîtèrent le pas.

J'entrai prudemment dans l'eau et essayai de nager. J'avais encore mal et mon torse était plus coloré qu'une carte pluviométrique du Brésil, mais j'ai pensé que l'eau me ferait du bien. Je ne m'étais pas trompé. Quelques minutes plus tard, je me sentais déjà mieux.

Je ne fus pas longtemps seul. Justin arriva immédiatement après le départ des Empaleurs. Je le rejoignis en quelques brasses.

– Comment te sens-tu? demanda-t-il.

— Pas mal, étant donné les dégâts. Et toi?

— Encore sous le choc, je suppose, dit-il.

— Ouaip, je pense qu'on a tous de quoi s'inquiéter avec cette histoire de water-polo, observai-je. Tu crois qu'ils fermeraient vraiment le lycée?

— Ce n'est pas simple, soupira Justin. Les gadjos du coin veulent maintenir le lycée, parce que c'est une façon de nous écarter de leurs établissements. Mais ils ne supportent pas de payer pour nous. Ce qui est compréhensible, car leurs enfants étudient dans des conditions bien inférieures aux nôtres… Cela dit, l'État, qui contribue en grande partie à nos frais, se fiche de savoir si nous sommes un lycée de jentis ou non. Mais certains, à la commission fédérale, voudraient nous obliger à fermer.

— Pourquoi les choses sont-elles si compliquées?

— Les choses sont comme elles sont, c'est tout!

— Je suppose que tu n'as pas d'autres amis gadjos.

— Non, tu es le seul.

— Le water-polo! m'exclamai-je en sortant de la piscine pour m'asseoir près de Justin. Fermer toute une école pour une histoire de water-polo…

— Il n'y a pas que ça, remarqua Justin. Le water-polo n'est qu'un prétexte.

Quelques gouttes d'eau lui tombèrent sur la jambe. Je bondis en arrière.

— Oh, désolé, Justin, dis-je.

– Ce n'est pas grave, dit-il en s'essuyant avec sa manche.

Puis il contempla l'étendue d'eau verte et chaude où les vagues que j'avais produites commençaient à se dissiper.

– Je suis sûr que ça me plairait de faire comme toi, affirma-t-il. Rien qu'une fois, pour savoir ce que ressentent mes poissons.

– Alors, pourquoi n'essaies-tu pas ?

– Tu es fou ? Ou bien tu me prends pour un fou ?

– Ni l'un ni l'autre. Mais tu n'as jamais été dans l'eau, si ?

– Non, bien sûr.

– Donc, comment peux-tu savoir ce qui t'arriverait ?

– Parce que c'est pareil pour tous les jentis, répondit-il. Depuis toujours. Je t'ai déjà expliqué.

– Justin, as-tu déjà rencontré un autre jenti qui avait envie de nager ?

– Non, pas vraiment.

– Et qui élève des poissons ?

– Il y a une fille en histoire-géo qui a un bocal de guppys, dit Justin.

– Ne crois pas que j'essaie de te convaincre de quoi que ce soit, mais, comme tu es assez différent de la plupart des jentis, peut-être as-tu des possibilités que tu ignores par rapport à l'eau.

Il regarda la piscine et se mordit les lèvres d'un air songeur.

– Quelle est la profondeur du petit bassin ? demanda-t-il enfin. Un mètre ?

J'acquiesçai d'un signe de la tête.

– Si j'y allais, je pourrais sortir très vite en cas de nécessité, dit-il. Tu serais tout près, n'est-ce pas ?

– Bien sûr.

– Aide-moi à trouver un maillot, fit-il.

Nous trouvâmes un maillot et un sac. Je pris une quarantaine de serviettes, juste au cas où.

« Pourvu que mon visage ne trahisse pas ma peur », songeai-je.

– OK, dis-je avec un sourire forcé, en entrant dans l'eau le premier. Ce n'est rien du tout, il suffit d'y aller progressivement.

À voir la tête de Justin, on aurait pu croire qu'il était en face d'un mur de briques, essayant de trouver le moyen d'y passer la tête. Il descendit d'un barreau en regardant la piscine et s'arrêta sur l'échelle lorsque l'eau lui arriva à la cheville.

– Qu'en penses-tu ?

– Pas mal, décida-t-il après réflexion.

Puis, mettant le deuxième pied près de l'autre, il ajouta :

– Pas mal du tout.

– Comment te sens-tu ? demandai-je, prêt à l'arracher de l'eau par les cheveux.

– Bizarre, dit-il. Vraiment bizarre.

Telle fut sa première réaction. Alors que je me penchais vers lui pour le sortir de la piscine, Justin se jeta de tout son long. Plaf! Il disparut sous l'eau et s'éloigna de moi à toute vitesse.

– Justin! m'écriai-je. Non! Attends-moi! Attends-moi!

Peine perdue. Il ne pouvait pas m'entendre de toute façon.

Une flèche se dessina dans l'eau, allant de l'emplacement de sa tête jusqu'à l'extrémité opposée de la piscine. Jamais je n'avais vu quelqu'un nager aussi vite. À peine venait-il de s'élancer que déjà il revenait vers le plongeoir.

– Hourra!

Vous avez déjà entendu quelqu'un crier « Hourra! » dans la vraie vie? Ça n'arrive jamais! Mais c'est ce que fit Justin. Puis il bondit hors de l'eau. Et alors qu'il s'élevait à deux, trois mètres de hauteur, je vis que ce n'était plus lui. À l'endroit même où je venais de voir mon ami, se trouvait maintenant une créature recouverte de fourrure brune. Avec son profil hydrodynamique, on aurait pu penser qu'il s'agissait d'un humain conçu pour vivre en milieu aquatique.

Il amorça avec grâce une courbe descendante, fendit l'eau et fonça vers moi.

– Génial! s'écria Justin. Si seulement je m'y étais pris avant! Allez, viens!

Mais il était impossible de le suivre. Il se déplaçait à une vitesse prodigieuse d'un bout à l'autre de la piscine, tournait en décrivant de longues courbes, zigzaguait, s'amusait à sauter hors de l'eau et à plonger. Comme s'il s'appropriait tout l'espace de la piscine.

Je lui lançais des appels à la prudence du style : « Justin, peut-être que tu ne devrais pas… », « Et si tu… » et « Ce n'est que ta première fois ».

Mais il était né pour ça.

Finalement, il surgit près de moi, avec un sourire éclatant.

– C'est la troisième fois que tu me sauves, dit-il.

– Que veux-tu dire ?

– La première fois quand j'ai eu le problème avec Grégor, puis quand tu m'as emmené à la fête d'Ileana. Et aujourd'hui, je découvre qui je suis vraiment. Sans toi, je ne l'aurais jamais su.

– Il commence à se faire tard, fis-je. On devrait se sécher.

– Je ne veux plus jamais être sec.

– Allez ! Les gardiens vont fermer la piscine et réveiller Krofresh.

– OK, répondit Justin à contrecœur.

Il se glissa vers le bord de la piscine et sauta sur le carrelage.

Alors qu'il se séchait, son corps retrouva son apparence habituelle. Mais quelque chose avait changé en lui car il souriait sans aucune timidité. Il était heureux, maintenant, et il savait que personne ne pourrait lui enlever son bonheur. Même sa démarche n'était plus la même.

Une fois habillés, nous sortîmes dans le crépuscule. Il restait encore de la neige à certains endroits.

– Alors, que dois-je faire pour entrer dans l'équipe de water-polo ? lança Justin, comme s'il venait d'y réfléchir. Et jouer pour de bon, je précise.

Une pensée à la fois si simple et si brillante… J'étais sûr qu'elle ne plairait pas du tout à Horvath. Mais moi aussi, j'avais ma petite idée. Aussi géniale que celle de Justin, ou carrément idiote… Je savais comment m'y prendre pour faire entrer Justin dans l'équipe et sauver le lycée. Tout en empêchant Horvath de se mêler de nos affaires.

– J'ai déjà tout prévu, affirmai-je, mais ça ne suffira pas. Il nous faut trois joueurs de plus. Justin, tu crois qu'il y aurait d'autres jentis capables de faire ce que tu fais ?

– C'est possible, répondit-il d'un air pensif. Helen, la fille dont je te parlais tout à l'heure, celle qui a des poissons. Et son frère, Carlton. Il est entré dans une pataugeoire, paraît-il, quand il avait trois ans. Sa mère a eu une peur bleue.

– Ce qui ferait trois joueurs.

– Il y en a peut-être d'autres, continua Justin. Ce qui est marrant, c'est qu'ils me ressemblent assez. Pas très grands, les cheveux châtains ou blonds. Et ils ont tous le même problème que moi. Il leur faut parfois plus de sang. Aucun d'eux ne peut se transformer, mais ils utilisent tous l'eau d'une manière ou d'une autre, même s'il s'agit simplement d'arroser un jardin.

– OK, dis-je, essayant de penser à tout à la fois. Ce qui importe, c'est d'agir à l'insu de Horvath. Nous devrons donc nous entraîner ailleurs. Connais-tu quelqu'un qui a une piscine ?

– Oui, répondit Justin. Je pourrais demander à un garçon qui s'appelle Thornton Ames. Ses parents ont une piscine depuis des années, uniquement pour le décor. Mais ils l'entretiennent, tu sais. Pour être mieux acceptés…

– Nous pourrions peut-être l'utiliser samedi, sans adulte dans les parages, demandai-je.

– Ce ne sera pas simple, lâcha Justin, mais on peut essayer.

19

L'entraînement

Il y a des jours où tout va comme sur des roulettes. Les parents de Thornton Ames allaient à Boston ce samedi-là pour voir une pièce de théâtre. Nous pouvions donc utiliser leur piscine. Thornton était intéressé. Helen et Carlton également.

Nous devions nous retrouver chez les Ames à deux heures.

C'était une journée radieuse. Au-dessus de la piscine, des nuées de vapeur s'élevaient en banderoles poussées par le vent. Nous grelottions, Justin et moi, en maillot de bain, et les trois autres nous regardaient comme si nous détenions la clé d'une porte inconnue qu'ils hésitaient à franchir.

Physiquement, ils ressemblaient à Justin. Ils étaient tous trois si petits et si ordinaires que, même côte à côte, ils donnaient l'impression de n'être que deux. Peut-être leur aspect, dépourvu d'originalité, était-il un genre de protection pour les vampires qui, comme eux, ne pouvaient ni s'envoler ni se transformer en loup…

– OK, dit Justin. Vous savez tous de quoi il s'agit. Cody m'a montré comment me transformer pour pouvoir nager. Jamais je n'ai eu une telle sensation et je suppose que ça vous intéresse, vous aussi. Sinon, vous ne seriez pas là. Sachez que Cody et moi, nous sommes prêts à vous aider, si jamais ce n'est pas votre truc.

Nous avions apporté un grand tas de serviettes du lycée. Helen Darforth les regarda d'un air sérieux, et elle observa l'eau. Puis elle avança vers le bord de la piscine, se pencha et plongea un doigt dans l'eau.

– Elle est bonne, dit-elle d'un ton réfléchi.

– Alors, Justin, montre-nous comment tu t'y prends, fit Carlton.

Justin marcha jusqu'à l'extrémité de la piscine et sauta. Au moment même où l'eau lui couvrait la tête, il se transforma en créature aquatique.

Helen en eut le souffle coupé.

– Oh ! s'exclama Carlton.

– OK, fit Justin en arrivant près de nous. Maintenant, Cody va me rejoindre dans la piscine et, si vous voulez essayer, nous vous aiderons.

Ils nous regardèrent bouche bée.

– Mon maillot de bain m'a coûté assez cher comme ça, autant que je m'en serve, annonça finalement Helen.

Elle alla se changer dans la maison et revint quelques minutes plus tard avec un maillot de bain une pièce qui lui arrivait presque aux genoux.

– Que personne ne rigole ! intima-t-elle.

– Ça te va bien, remarquai-je. Très professionnel. Tu es prête pour l'essai ?

– Autant y aller, maintenant, dit-elle. Il fait bien trop froid dehors.

Elle descendit les marches d'un pas assuré, jusqu'à ce que l'eau lui monte à la taille.

– Je ne sens aucune différence, observa-t-elle.

– Tu dois peut-être y aller complètement, dit Justin.

– Je vais descendre jusqu'à ce qu'il n'y ait plus que ma tête qui dépasse.

Elle s'enfonça un peu plus dans le bassin. Puis elle se releva en poussant un cri de joie. Elle avait les pieds palmés et le corps couvert d'un pelage brun, lisse et brillant. Elle plongea la tête dans l'eau. Quand elle la ressortit, son visage était couvert d'un duvet marron, et elle souriait.

– C'est génial ! s'exclama-t-elle avant de s'élancer de nouveau dans la piscine, avec la même explosion de joie que celle de Justin, lors de sa première fois.

– Sois prudente, lança Carlton à sa sœur.

– Peuh ! Viens, toi, s'écria-t-elle.

– Je vais y aller justement, dit Thornton en retirant ses vêtements.

Il était déjà en maillot.

– C'est tout ? Je n'ai besoin de rien d'autre ? demanda-t-il.

– Non, vas-y, dit Justin.

Carlton annonça qu'il allait sauter. Et il sauta.

– Carlton, normalement tu dois enlever tes vêtements avant d'aller dans l'eau, dit Justin lorsqu'il le vit émerger, tel un phoque en pantalon et en chemise.

– Je m'en souviendrai la prochaine fois, répondit Carlton. Je n'ai pas pu me retenir.

– Gare à vous ! claironna Thornton, avant de sauter dans l'eau.

Et j'étais là, seul gadjo avec quatre jentis, transformés en un genre de loutres ou de phoques, s'ébattant dans l'eau comme s'ils ne s'étaient jamais tant amusés de leur vie. J'imagine que c'était le cas.

Quelle excitation !

– D'après vous, nous nous sommes transformés en quoi, exactement ? haleta Thornton. Nous devrions avoir un nom.

– Je n'ai jamais entendu dire que ce genre de choses pouvait se produire, remarqua Justin.

– À mon avis, nous avons un nouveau pouvoir, dit Carlton. Il existait peut-être en nous depuis des générations et attendait que Cody le révèle. Après tout, les gens peuvent changer.

– J'ai réfléchi à la question, intervint Helen. Il existe des légendes des îles Britanniques au sujet de créatures capables de se transformer en phoques ou en humains. On les appelle les « selkies ». Nous avons tous des ancêtres originaires de ces îles. Nous sommes peut-être une race britannique un peu spéciale.

– Selkie. C'est un joli mot, glissai-je.

– Un mot qui fait très bien l'affaire, poursuivit Justin. On n'a qu'à s'appeler les selkies !

– Retournons nager, lança Thornton, et ils filèrent à toute vitesse, évoluant dans la piscine comme des loutres.

Ils ne se lassaient pas de nager, sauter, plonger… Au bout d'une heure, quand ils commencèrent à se calmer, je leur demandai :

– Au fait, Justin vous a parlé du water-polo ?

– Évidemment, dit Helen.

– Il nous a dit qu'on allait faire partie de l'équipe, précisa Carlton.

– J'ai l'impression qu'on va bien se marrer, dit Thornton.

– Je suis sûre que tout le monde sera surpris, fit Helen.

– Et pas qu'un peu ! ajoutai-je. Surtout Horvath.

– Nous ne lui dirons certainement pas, assura Thornton. Nous irons simplement le voir pour nous proposer comme remplaçants.

– Mais pourquoi Horvath ne serait-il pas content de savoir que nous faisons ça justement pour le lycée ? demanda Carlton.

– Je ne sais pas du tout comment il réagirait, dis-je. De sa part, on peut s'attendre à tout. Mais une chose est sûre : il déteste les changements. Alors, que ce soit lui ou l'État, il faut qu'on les mette devant le fait accompli. Comme ça, il n'y aura pas de magouille.

– Juste au cas où il préférerait fermer le lycée plutôt que de modifier les anciennes coutumes, renchérit Justin.

– Bien. Quelqu'un a-t-il apporté un règlement du jeu ? s'enquit Helen.

Une fois hors de l'eau, debout et grelottants, nous consultâmes rapidement les deux pages de règlement du water-polo.

– Ça me paraît clair, déclara Thornton.

– Je ne vois pas de problème, approuva Carlton.

– Non, en effet, ajouta Helen. Je pense que nous sommes prêts.

– Eh bien, c'est parfait, fis-je, pressé de retourner dans l'eau chaude. Si quelqu'un veut bien prendre un ballon, on pourrait s'entraîner un peu.

– À quoi bon ? dit Thornton. On sait jouer. De toute façon, je n'ai pas de ballon. Je préfère nager.

J'allai objecter, mais je me ravisai aussitôt. Après tout, quelle différence cela ferait-il si nous nous entraînions ou non ? Les Empaleurs ne s'étaient jamais entraînés, eux.

Les jentis bondirent l'un après l'autre dans l'eau, avec grâce, et commencèrent à faire toutes sortes de trucs qui auraient été impossibles pour des gadjos. Mon petit doigt me disait que nous allions nous surpasser lors du prochain match.

Justin me raconta plus tard que Horvath avait été surpris lorsqu'ils s'étaient rendus tous ensemble dans son bureau pour se proposer comme remplaçants.

– Voilà qui est tout à fait inhabituel, avait-il dit. D'habitude, nous devons imposer cette obligation aux élèves.

– Nous voulons simplement aider de notre mieux, lui avait répondu Justin. Surtout moi, après ce qui s'est passé la semaine dernière.

Horvath l'avait regardé d'un air dur, mais il avait attribué un casier à chacun, et commandé spécialement un maillot de fille aux couleurs de l'équipe pour Mlle Darforth.

Voilà tout ce qui s'est passé, et mon rôle dans l'affaire.

Mais mon récit demeure incomplet. Il manque un élément important. Un élément que j'ai du mal à inclure dans le fil des événements.

Ileana.

Plus précisément, l'absence d'Ileana.

Cela me rongeait le cœur. Peu importait ce que j'étais en train de faire ou d'essayer de faire…

En maths, où nous étions assis côte à côte, je ne l'avais même pas regardée une seule fois mais j'avais passé tout le cours à m'empêcher de poser les yeux sur elle. Dans les autres matières, celles qu'elle ne suivait pas, j'étais constamment aux aguets.

Mais ce qu'il y avait de pire, et de plus étrange, c'est que je sentais parfois son odeur alors qu'elle n'était pas là.

Que vous dire de plus, sinon qu'elle me manquait continuellement et que je ne pouvais penser à rien d'autre.

Cela explique sans doute ce qui se passa ensuite avec Grégor.

C'était un mercredi. Une journée magnifique, baignée d'une lumière incroyable. L'air avait une douceur printanière. Le ruisseau qui traverse le campus chantonnait, et de minuscules grenouilles étaient sorties et lui répondaient de leurs coassements joyeux.

Je descendis vers le ruisseau dans l'espoir d'observer les petites grenouilles, mais j'aperçus Grégor, assis sur un banc. Le regard fixé sur l'eau, sans la voir. Il ne voyait ni la lumière, ni le vert tendre des arbres, ni les fleurs qui venaient d'ouvrir leurs pétales. Il semblait être dans le même état que moi. Ce fut sans doute ce qui me poussa à m'approcher de lui…

— Je te prie de m'excuser, Grégor, pour mes paroles de l'autre jour. C'était stupide de ma part. Je suis vraiment désolé.

Il demeura longtemps muet, sans même se retourner. Puis il répondit :

— Aucune importance. Tu es un gadjo. Rien de ce que tu me dis ne peut m'atteindre.

Je faillis partir. Si je m'étais senti mieux, je l'aurais fait. Mais j'avais la mort dans l'âme.

— Gadjo ou pas, dis-je, j'avais tort. Je regrette d'avoir voulu te blesser.

— Je déteste cet endroit, je te déteste, lâcha-t-il, en continuant à me tourner le dos.

— Quelle coïncidence ! Moi aussi, je le déteste, et je pense que je te déteste également. Encore que je n'en suis pas sûr.

– Ces hivers épouvantables qui n'en finissent pas, ces étés interminables aux nuits étouffantes. À part des Américains, qui choisirait de vivre ici ?

– Je suis américain, et pourtant je n'ai aucune envie d'être ici.

– L'Europe est magnifique, surtout la France, fit remarquer Grégor.

– La Californie, dis-je. Surtout la campagne au sud de San Francisco. Et les séquoias de la côte. San Diego… même Los Angeles est superbe quand les vents chassent la brume vers la mer.

– Ça n'a rien à voir avec les montagnes de Norvège, ou la tranquillité d'un petit village du Languedoc au crépuscule, observa Grégor.

– Tu as vu la Californie ? demandai-je.

– Nul besoin d'y aller. J'ai vu la véritable beauté.

– Je suppose que nous sommes tous les deux loin de chez nous, dis-je.

Grégor se tut de nouveau. Quant à moi, j'avais essayé de m'excuser, après tout.

– Je m'en vais… commençai-je.

– Merci, coupa Grégor.

– Il y a autre chose, au fait. Au cas où ça aurait de l'importance, Ileana et moi, enfin… il n'y a rien, ou plus rien, entre nous.

Grégor ricana, puis il déclara :

– Tu n'es sans doute pas mauvais, gadjo, mais tu es d'une stupidité épouvantable.

– Merci, moi aussi je t'aime bien, répliquai-je, en repartant d'où j'étais venu.

– Il nous arrive d'être trop fiers, nous tous, répondit enfin Grégor.

Longtemps, je m'interrogeai sur le sens de ses paroles, mais j'étais content de lui avoir parlé.

Horvath s'enferra dans ses manigances. Il reporta le match à la semaine suivante et essaya de recruter des joueurs en dehors de l'État. À mon avis, la procédure était illégale, mais, de sa part, rien ne devait nous étonner.

Toutes sortes de bruits couraient : il n'y aurait pas de match, le lycée serait mis sur la touche, ou peut-être fermé… Voilà ce qui se chuchotait dans le réfectoire. Un élève demanda à M. Shadwell si les cours seraient assurés jusqu'à la fin de l'année scolaire. Shadwell se voulut rassurant. Il évoqua l'excellent niveau de l'établissement et la réputation mondiale qu'il s'était forgée au long d'un siècle d'existence. Mais il semblait aussi inquiet que les élèves.

Carlton, Justin, Helen et Thornton se comportèrent comme s'ils ignoraient tout du secret qui allait sauver l'établissement. Sachant à quelle vitesse les informations se propagent chez les jentis, leur attitude forçait vraiment l'admiration, car jamais rien ne filtra au sujet du plan prévu pour le prochain match.

Enfin, le grand jour arriva.

20

L'État s'en mêle

Le jour du match, pas un seul nouveau gadjo ne s'était présenté à Horvath. Si notre équipe n'avait pas assez de joueurs dans l'eau, il nous faudrait renoncer. Deux inspecteurs vinrent spécialement de Boston pour surveiller la procédure.

Nous les vîmes arpenter les couloirs de long en large toute la journée, furetant à gauche à droite, gardant l'œil sur nous. Horvath et Charon les accompagnaient. Malgré leurs costumes et leurs porte-documents, ils avaient un physique d'athlètes. Ils s'avançaient en tanguant à la façon de Krofresh. De leurs cols de chemise jaillissaient des cous épais à moitié étranglés par leur cravate. Ils avaient beau être grands et costauds, ils paraissaient tout aussi effrayés que moi, lors de mon premier jour. Ils n'arrêtaient pas de se retourner, comme s'ils craignaient d'être attaqués. Horvath, quant à lui, faisait penser à un prisonnier attendant la pendaison.

Je fus très tenté d'aller vers eux pour leur dire : « Ne vous inquiétez pas pour le lycée. Il n'y aura ni mise sur la touche

ni fermeture. J'espère que vous apprécierez le match ! »
Mais je me tus, évidemment.

Pendant mon temps libre, je descendis au natatorium
pour me préparer. Je glissai un œil dans le bureau de
Krofresh. Il n'était pas là.

Tracy et Pyrek arrivèrent en traînant les pieds, suivis
quelques minutes plus tard de Falbo, l'air sombre.

– C'est fini, commenta tristement Pyrek, en touchant
la porte de son casier, comme s'il lui disait adieu.

– Des devoirs la semaine prochaine, sans aucun doute,
affirma Tracy.

– C'est bien ta faute, Elliot, lâcha Falbo. Évidemment,
tu n'as rien fait pour éviter ça, tu ne m'as pas écouté.

– Si, au contraire, répondis-je.

– Quoi exactement ? On peut savoir ? demanda Pyrek,
en faisant volte-face.

– T'as intérêt à dire la vérité, glapit Tracy, en agitant son
poing devant ma figure.

– Vous serez fixés dans quelques minutes, assurai-je. Et
laissez-moi vous dire une chose : si les Empaleurs ne sont
pas au complet dans l'eau, dès le début du jeu, ce sera parce
que vous autres clowns, vous n'y allez pas.

– Qu'est-ce que tu racontes ! s'exclama Tracy. Nous
sommes toujours les premiers à l'eau, même si nous
déguerpissons tout de suite après...

– Est-ce que quelqu'un a vu Krofresh ? demandai-je,
pour changer de sujet.

– Non, répondirent d'une même voix Tracy et Pyrek.

– Il faut qu'on le trouve, dis-je. Nous avons un match à jouer.

Un énorme fracas se fit entendre au fond des vestiaires.

Nous retournâmes vers l'antre de Krofresh et le trouvâmes étendu sur le sol, jambes écartées, la tête appuyée contre un casier. Trois caisses de bières vides à ses côtés, et une quatrième bien entamée.

– Qu'est-ce qu'il fabrique ici ? demanda Falbo.

– Il se cache, répondis-je.

Puis, agenouillé vers Krofresh, je m'écriai :

– Hé ! entraîneur, nous avons un match. Réveillez-vous ! L'équipe est au complet ! Allez ! Venez, venez nous diriger comme vous en avez l'habitude.

Bien inutilement, car il était complètement ivre.

– Oh, quelle tuile ! m'exclamai-je. Nous devons absolument le remettre sur pied. Il ne faut surtout pas que les inspecteurs le voient dans cet état. Vous pouvez le réveiller ? Je dois aller chercher les nouveaux membres de notre équipe.

Pyrek et Tracy haussèrent les épaules et se mirent à secouer Krofresh. Falbo, à ses pieds, n'arrêtait pas de crier :

– Allez, debout, entraîneur ! Levez-vous !

Lorsque je revins à la piscine, je m'aperçus que l'autre équipe était là. Nos bons vieux amis de St Biddulph…

Ils se dirigèrent à la queue leu leu vers les casiers sans me regarder.

Leur entraîneur me demanda où se trouvait Krofresh.

– Il est avec le reste de l'équipe, répondis-je. Il ne devrait pas tarder. Puis-je faire quelque chose pour vous, monsieur?

– Ouais, t'as qu'à lui dire que ça fait vingt ans que j'attends ce moment. On m'a dit que vous n'aviez même pas été fichus de mettre une équipe sur pied. Il va se faire virer et ce lycée à la noix sera fermé. Ce n'est pas trop tôt.

– Peut-être vaut-il mieux que vous le lui disiez vous-même, monsieur. Après le match.

– Tu m'écoutes, espèce de crétin? glapit l'entraîneur Ryan. Il n'y aura pas de match!

– Vous abandonnez, monsieur? Il semble que vous ayez été mal informé, car notre équipe est au complet. Et nous serons prêts à jouer dès le premier coup de sifflet. Je vous prie de m'excuser, monsieur. Mes coéquipiers arrivent.

Les deux remplaçants convoqués par Horvath avancèrent d'un air sombre vers le natatorium. Justin, Helen, Carlton et Thornton leur emboîtèrent le pas.

– Tu peux me dire où sont les vestiaires des filles? s'enquit Helen.

Je l'accompagnai de l'autre côté de la piscine et repartis. Sans doute était-ce la première fois que ces vestiaires allaient être utilisés.

– Vous, les suceurs de sang, vous ne savez même pas nager, braillait Ryan. Où est Krofresh?

Falbo, Tracy et Pyrek sortirent des vestiaires en secouant la tête.

– Il est complètement hors jeu.

– On lui a même jeté de l'eau, ajouta Tracy.

– Alors, où sont les gars qui vont jouer dans notre équipe ? demanda Falbo.

Justin sortit alors des vestiaires, suivi de Carlton et de Thornton. Ils s'assirent tous les trois sur le banc.

– Ils seront là dès le coup de sifflet, lançai-je en souriant.

Puis les joueurs de St Biddulph sortirent à leur tour, et s'alignèrent à l'autre bout du natatorium. L'entraîneur Ryan se dirigea vers le milieu de la piscine. Un arbitre se tenait déjà prêt, debout sur le bord.

– Où est votre entraîneur ? s'écria-t-il. Il est temps de tirer au sort, pour voir de quel côté jouent les équipes.

Il avait une pièce de vingt *cents* dans la main.

– Je m'en charge.

– Je ne vais pas tirer au sort avec un gamin, répliqua Ryan. Où est ton équipe, d'ailleurs ?

– Si vous ne voulez pas tirer au sort, peu importe. Nous prendrons le côté profond, répondis-je. Ça nous est égal.

– Ça vous convient, entraîneur Ryan ? lança l'arbitre.

– Bien sûr, dit Ryan. De toute façon, il n'y aura pas de match.

Je me rendis du côté de notre équipe et jetai un coup d'œil autour de moi. Falbo, Pyrek et Tracy attendaient, debout dans un coin. Les jentis avaient pris place sur un banc. Horvath et Charon, flanqués des deux types en costume, s'étaient installés dans les gradins. Les juges et les chronométreurs étaient prêts. Helen arriva dans son nouveau maillot de bain aux couleurs de l'équipe.

– Allons vite dans l'eau, dit-elle. Je m'y sentirai bien mieux qu'ici, exposée à tous les regards.

J'adressai un regard à Justin et je lui indiquai d'un geste que tout allait bien. Il me répondit par son signe qui voulait dire : « J'ai fait un festin. »

Un des arbitres donna un coup de sifflet, et les joueurs de St Biddulph prirent place dans leur côté de la piscine.

– Tout le monde à la flotte ! criai-je.

Pyrek, Tracy, Falbo et moi entrâmes les premiers dans l'eau. Justin et Carlton se levèrent, et Helen les rejoignit.

– Permettez-moi de vous présenter, dis-je. Gadjos, voici les jentis. Jentis, voici les gadjos. Allons-y, les Empaleurs, le ballon nous attend.

D'un même mouvement, Helen, Justin et Carlton bondirent dans l'eau, au-dessus des têtes de leurs coéquipiers.

Je vis Horvath se lever et crier « Non ! » Charon, dressé sur ses quatre pattes, poussa un hurlement. Mais l'un comme l'autre se turent immédiatement quand ils aperçurent la tête de mes trois amis, hors de l'eau. On n'entendait plus un seul bruit dans le natatorium.

Levant de nouveau les yeux vers les gradins, je constatai que Charon, Horvath et les deux types en costume se tenaient debout, les mains (ou les pattes) accrochées à la balustrade. Le loup aussi semblait surpris.

Trois créatures aquatiques, couvertes d'un pelage brun, évoluaient, fines et gracieuses, au centre.

– Que se passe-t-il ? tonna Ryan.

Puis l'arbitre donna un autre coup de sifflet et lança le ballon.

Justin leva le bras et expédia directement le ballon dans le but de St Biddulph.

Les drapeaux s'agitèrent. Un point pour nous.

Le ballon revint et Helen le lança de nouveau dans la cage. Il était à nous cette fois, et je le pris, le passai immédiatement à Carlton qui l'envoya une troisième fois dans le but.

– Vous êtes qui, les gars ? s'écria Tracy.

– Des élèves du lycée, tout comme vous, répondit Justin.

– Il y a deux ans, nous étions dans le même cours d'anglais, dit Helen à Tracy. Tu ne t'en souviens peut-être pas, vu que tu ne venais pas très souvent en classe.

– Ah, ouais, répondit Pyrek. Moi aussi, je t'ai déjà vue en cours d'histoire-géo, une année.

– Je pensais que vous ne saviez pas nager, vous autres ! s'étonna Tracy.

– Mais si, certains d'entre nous nagent, fit Justin en haussant les épaules. Et si nous finissions la première mi-temps, maintenant ?

– Pas question de nager avec des vampires, glapit Falbo.
Je me tire.

Thornton sauta aussitôt dans l'eau pour le remplacer.

Même si, comme d'habitude, le match n'en fut pas
vraiment un, il n'eut rien à voir avec ceux que nous avions
joués auparavant. Les quatre jentis ne manquaient pratiquement jamais leur cible. À chaque fois qu'un joueur
de St Biddulph nous renvoyait le ballon, un jenti l'inter-
ceptait et le propulsait à la vitesse de l'éclair dans le but de
St Biddulph.

Pour les gadjos, la seule chose à faire était de jouer en
retrait pour leur laisser le champ libre.

Je décidai de couvrir notre but, juste au cas où. En
me retournant pour nager vers la cage, je remarquai
que tous nos remplaçants avaient quitté leur banc.
Nos faux remplaçants avaient disparu ! J'en fus plutôt
étonné car, jusqu'à ce jour, ils avaient toujours fait acte
de présence.

Mais ils revinrent quelques minutes plus tard, dans
leurs vêtements de tous les jours. Suivis d'une cohorte
d'amis qu'ils menèrent jusqu'aux gradins.

Fidèles à eux-mêmes, les jentis s'installèrent calmement
dans le natatorium. On n'entendait même pas le bruit de
leurs pas. Ils nous observèrent sans dire un mot.

À chaque fois que je levais les yeux, ils étaient de plus
en plus nombreux. Après avoir rempli tout un côté des
gradins, ils s'installèrent de l'autre côté. Le bruit avait dû se

répandre dans tout le campus… Même les petits de l'école primaire arrivèrent à leur tour. Les lycéens les prenaient sur leurs genoux. À la fin de la première mi-temps, toute l'école semblait s'être réunie dans le natatorium.

Justin coula un regard vers l'assemblée des spectateurs tranquilles et serrés comme des sardines.

– J'ai un peu le trac, dit-il. Et si nous n'arrivons pas à nous en sortir ?

– Le score est de 211 à 0, répondis-je.

– C'est bien ?

– Même si nous nous arrêtions de jouer maintenant, nous ne pourrions pas perdre.

– Franchement, je croyais que ce serait bien plus difficile, remarqua Thornton. Ce n'est que ça ?

– Eh oui.

– Je me demande bien pourquoi l'État accorde tant d'importance à ce jeu, reprit Thornton.

– Pour la précision du geste, peut-être, suggéra Helen.

– C'est sûrement ça, convint Carlton.

Ryan arpentait le bord de la piscine, fou de rage.

– Krofresh ! glapit-il. Où est Krofresh ? Je veux qu'il se ramène immédiatement.

Puis, apercevant notre entraîneur qui sortait des vestiaires, il se précipita aussitôt vers lui.

– Vous n'avez absolument pas le droit d'utiliser des vampires dans votre équipe, braila-t-il, en brandissant un doigt à la figure de Krofresh. Uniquement des humains.

C'est marqué dans le règlement. Et si ce n'est pas marqué, ça devrait l'être. Le match est annulé!

Je me dirigeai vers eux.

– Vous voulez dire que vous abandonnez le match? demandai-je. Au fait, les jentis sont des êtres humains.

– On n'abandonne pas, espèce de nul, s'étrangla Ryan. On ne joue pas, c'est tout. Tu piges, espèce de nul?

– Oh! Doucement! lâcha Krofresh. Ce gars-là, vous n'avez pas à le traiter de nul. Il n'y a que moi qui ai le droit de les appeler comme ça.

Puis, baissant la tête vers moi, il me demanda:

– Quel est le score?

– 211 à 0, répondis-je. C'est la fin de la première mi-temps.

Krofresh eut l'air interloqué.

– Ryan, pourquoi vous laissez tomber alors que vous avez tant d'avance? demanda-t-il.

– Entraîneur, c'est nous qui avons de l'avance, précisai-je. Nous sommes en train de gagner le match.

– Hein? Comment ça se fait? demanda Krofresh.

– Je vous expliquerai plus tard, répondis-je.

– D'accord, fit Krofresh.

– Je vous prie de m'excuser, intervint Carlton qui nous avait rejoints. Mais nous commençons à sécher. Il est peut-être temps que nous retournions dans l'eau.

– On n'en a rien à fiche! On se tire, croassa Ryan en s'éloignant vers son équipe, raide comme un piquet.

Il siffla et agita les bras.

– Allez ! Nous partons, tonna-t-il. Magnez-vous !

– Est-ce que vous abandonnez, entraîneur ? s'écria l'un des types en costume, assis sur les gradins.

– Vous avez perdu d'office si vous partez, déclara l'autre type en costume.

– Ouais, glapit Ryan, en arrachant sa casquette qu'il jeta dans la piscine.

Alors qu'il quittait le natatorium, flanqué de son équipe, les jentis se levèrent et des applaudissements partirent du haut des gradins, à la mode européenne. Tout le monde applaudit d'abord lentement, en gardant la cadence, puis en accélérant de plus en plus, jusqu'à l'explosion finale qui sembla ébranler tout le bâtiment.

Grégor était au premier rang à côté de Horvath. Il était aussi sombre que d'habitude, mais il frappait dans ses mains, comme tous ses amis. Et comme Horvath.

– Pas mal, dit Pyrek.

– Je m'y habituerais sans problème, commenta Tracy.

Justin, Helen, Carlton et Thornton s'alignèrent à l'autre bout de la piscine et s'inclinèrent devant les spectateurs. Alors que tous les jentis les acclamaient, Justin vint me chercher et m'amena auprès des autres, en levant mon bras au-dessus de ma tête.

Puis, menés par Grégor, les spectateurs commencèrent à scander :

– Gad-jo, gad-jo, gad-jo, gad-jo !

Tous, sans exception.

Les jentis, qui avaient perdu leur réserve habituelle, descendirent rapidement des gradins avec une grâce féline et se pressèrent autour de Justin, Carlton, Helen et Thornton. En une minute, chacun des selkies se retrouva au centre d'un cercle d'admirateurs. Tous grands et bruns, et aussi excités que le jour de la fête chez Ileana.

– C'est grâce à Justin, vous savez, disait Helen. Et c'est Cody Elliot qui lui a montré comment s'y prendre. D'ailleurs, il nous a appris à tous.

– C'est notre chef, fit Thornton.

– Je pense que le terme exact est « capitaine », observa Carlton. Mais je n'en suis pas sûr. C'est la première fois que je joue dans une équipe.

Puis, comme d'autres jentis s'étaient joints au groupe, je n'entendis plus un seul mot.

Horvath, Charon et les deux types en costume descendirent des gradins. Horvath ne lâcha plus Krofresh et le noya sous les félicitations, à grand renfort de tapes dans le dos et de poignées de main vigoureuses.

– Viens, dis-je à Justin. Il faut qu'on sache ce qui va se passer.

– Comme vous pouvez le constater, messieurs, disait Horvath à l'intention des types en costume, notre équipe de waterpolo se défend bien et j'ose même dire qu'elle est tout à fait à la hauteur. J'espère que votre rapport reflétera ces réalités.

– Je ne sais pas, dit le costume numéro un. Il y a eu quelques irrégularités.

– Ouais, lâcha le costume numéro deux. C'était quoi, les trucs qu'on a vus dans l'eau avec votre équipe ?

– Ce sont des enfants, messieurs. Des élèves de Vlad Drac. N'est-ce pas, fiston ? lança la voix de Papa derrière moi.

Je me retournai, étonné. D'où sortait-il ?

– Fiston, ce sont tes camarades, oui ou non ? demanda de nouveau Papa.

– Euh… oui, répondis-je.

– De quelles irrégularités parlez-vous, messieurs ? interrogea Papa.

– Seuls les êtres humains ont le droit de jouer, lâcha le costume numéro deux.

– Messieurs, d'une part, la loi n'a pas encore établi la définition de ce qui appartient au genre humain, dit Papa. D'autre part, le Code civil est très précis en ce qui concerne les questions de discrimination et les peines encourues. Permettez-moi de me présenter : Jack Elliot, avocat. Je suis ici pour vous dire que, si jamais la commission fédérale faisait des difficultés au lycée Vlad Drac pour le motif du recrutement des participants aux sports aquatiques, je représenterais l'établissement *pro bono publico*, c'est-à-dire à mes frais, au cas où le terme vous soit inconnu, dans un procès d'action collective pour le compte des élèves. Je peux affirmer en toute confiance que nous finirions par gagner, et que les dommages et intérêts qui nous seraient attribués ruineraient l'État du Massachusetts pour des siècles. Est-ce bien ce que vous souhaitez ?

– Gros bonnet ou pas, fit le costume numéro un, nous avons notre propre avocat !

– Oh ! Sans doute ai-je oublié de mentionner que je suis l'un des associés de Blanchard, Roublé et Croquin, dit Papa. Vous avez peut-être entendu parler de nous ?

– Oh-oh ! lâcha le costume numéro deux.

Charon coula un regard vers eux.

– Excellent match, reprit le costume numéro un.

– Jamais rien vu de la sorte, entraîneur, dit le costume numéro deux.

Ils regardèrent Charon et Papa d'un air inquiet tout en serrant la main de Krofresh.

– Au fait, entraîneur, nous avons quelque chose pour vous, s'exclama le costume numéro un, en se penchant vers son porte-documents.

Il en sortit une vilaine statuette bon marché en plastique doré. Puis, avec un couteau de poche, il enleva une petite étiquette collée sous l'objet de pacotille. L'étiquette voltigea au sol, et Justin s'empressa de la ramasser.

– C'est pour vous, entraîneur, avec nos félicitations, fit le costume numéro deux, en présentant la statuette à Krofresh.

– Nous devrions y aller maintenant, dit le costume numéro un. Heureux de vous avoir rencontré, entraîneur. Monsieur le directeur, vous n'avez pas lieu de vous inquiéter.

– Permettez-moi de vous accompagner jusqu'à la sortie du campus, messieurs, dit Horvath.

Ils s'en allèrent, entre Horvath et Charon.

Krofresh contempla sa statuette.

– Je n'ai jamais vu une aussi belle chose de ma vie… Bande de… bande de nuls… bredouilla-t-il avant de retourner dans son bureau.

– Papa, dis-je. Comment se fait-il que tu sois là ?

– Fiston, ce n'est pas parce que je suis avocat que je suis complètement idiot. Souviens-toi que j'ai fait mes études de droit ici. Une de mes camarades, une gadjo de La Nouvelle-Ninive, m'avait raconté quelques trucs auxquels je n'avais pas cru, mais je me suis quand même rendu compte qu'il se passait ici bien plus qu'on ne voulait me le laisser entendre. Il n'y a pas tant de villes peuplées de géants à lunettes de soleil. Bon… j'étais prêt à adopter l'attitude typique de la Nouvelle-Angleterre, c'est-à-dire à me taire. Tout allait bien, pensais-je. Du moment que je gagnais de l'argent à la pelle, et que tu allais à Vlad, j'étais content. Puis nous sommes allés au cinéma, et là nous avons été traités comme des princes… grâce à toi, cela ne faisait aucun doute. Ce jour-là, j'ai compris qu'il se passait quelque chose. Et j'ai eu envie d'en savoir plus. Antonescu m'a un peu informé, et j'ai glané d'autres renseignements de mon côté. Mais ce n'est qu'aujourd'hui que j'ai compris à quel point je peux être fier de toi.

Et il me serra dans ses bras, même si j'étais encore mouillé.

– Papa, dis-je après un moment de silence, nous aurons notre bulletin trimestriel dans une semaine. Je crois que mes notes ne sont pas très bonnes.

Il ne desserra pas son étreinte.

Après son départ, je traînai encore un peu dans l'espoir de voir qui vous savez… sans la trouver nulle part. Puis, quand je compris qu'elle ne viendrait pas et ne viendrait jamais, je partis me changer au vestiaire.

Justin me rejoignit. Il avait retrouvé son apparence habituelle, sec et timide. Mais son visage était illuminé d'un sourire malicieux.

– Regarde ce qu'il y avait sur le trophée qu'ils ont donné à Krofresh, dit-il en me tendant l'étiquette :

À l'entraîneur Aloysius Ryan
et à l'équipe de water-polo de St Biddulph
De la part de l'État du Massachusetts,
avec nos félicitations.

– Tu as fait capoter les projets de l'État, dit Justin. Ils avaient l'air bien décidés à fermer le lycée.

– Je suppose, répondis-je en haussant les épaules.

Maintenant que tout était terminé, cela ne me semblait plus si important. Bien sûr, je me réjouissais qu'ils ne ferment pas Vlad Drac, mais je n'avais plus qu'un sujet de préoccupation : Ileana.

Un profond ronflement résonna.

– Nous devrions jeter un œil sur Krofresh, m'exclamai-je.

Nous retournâmes dans son bureau. Les pieds posés sur le bureau, notre entraîneur roupillait paisiblement, le trophée blotti sous le bras, comme une poupée.

21

La reine d'Illyria

Le lendemain, les jentis se rendirent en masse dans le natatorium pendant leur temps libre. Tous les petits blonds ou châtains, qui déambulaient tranquillement dans les couloirs sans jamais se faire remarquer, attendaient leur tour au bord de l'eau, pour savoir s'ils pouvaient, eux aussi, se transformer en selkies. Le médecin et les infirmières scolaires observèrent le déroulement des opérations. Les jentis entraient dans l'eau, du côté le moins profond, et se mouillaient doucement le visage, toujours accompagnés de Justin ou de moi-même.

Ils se transformèrent tous et semblaient nés pour nager. À partir de ce jour, Vlad Drac n'aurait plus besoin de gadjos pour la pratique des sports aquatiques. Le lycée aurait même la meilleure équipe de tout l'État.

Mais pour cela, tout le monde devrait d'abord reconnaître que les vampires n'avaient aucun rapport avec le folklore ou le récit fantaisiste de Bram Stoker. Ils étaient simplement différents de nous.

Après ces événements, le campus commença à changer. Les jentis se mirent à sourire et même à se faire des signes de la main. Ils ne portaient pas toujours leurs lunettes de soleil. D'ailleurs, ils n'en avaient pas tellement plus besoin que nous.

Certains n'hésitèrent pas à me demander conseil pour «se comporter aussi mal qu'un authentique gadjo». Un domaine où j'avais quelques compétences... Lorsque j'eus décrit le lancer de boulettes, deux élèves s'y exercèrent en cours de physique, puis mirent au point une sarbacane élaborée et enregistrèrent les caractéristiques de vol, n'hésitant pas à soumettre leur projet au professeur pour obtenir des points supplémentaires.

En cours d'histoire-géo, j'évoquai l'école buissonnière. Ce jour-là, ils se levèrent tous et se rendirent chez un marchand de glaces, à dix minutes du lycée. L'un d'eux lui annonça :

– Bonjour. Nous ne sommes pas supposés être ici. Pouvons-nous avoir des cônes à la vanille, à emporter s'il vous plaît ?

Ils n'avaient pas très bien compris le principe, puisqu'ils avaient invité M. Gibbon à les accompagner !

Grégor fut même expédié au bureau de Horvath pour avoir tourné à fond le volume de sa radiocassette. (Il écoutait une cantate de Bach, mais bon...)

– C'était juste une expérience, expliqua-t-il à Horvath. Je crois savoir que c'est un comportement très répandu chez les jeunes gadjos.

Horvath lui demanda simplement de ne pas recommencer.

Un jour, tous les membres de l'équipe de football se transformèrent en loups avant d'aller en cours. Ils exigèrent que le nom de leur équipe soit désormais les Loups-Garous. Horvath accepta. Le lendemain, ils reçurent de nouveaux vêtements à leur nom.

Le directeur annonça que tout élève doué pour les études (gadjo ou non) pourrait entrer à Vlad Drac. L'établissement ouvrirait des dortoirs supplémentaires, si nécessaire, puisqu'il accepterait désormais des élèves venant de tous les États.

Un nouvel entraîneur de sports aquatiques serait également recruté pendant l'été. L'entraîneur Krofresh serait promu en fin d'année au poste de « responsable de l'accès aux casiers », créé par Horvath. Une nouvelle fonction accompagnée d'une augmentation de salaire importante.

Pyrek, Falbo et Tracy furent informés qu'en vertu de leur réussite scolaire, ils recevraient leur diplôme avec un an d'avance, ou peut-être même deux. Des bourses de sportifs leur étaient proposées dans une université baptiste du Texas. J'ignore s'ils l'ont acceptée ou non.

Au centre-ville également, les choses n'étaient plus les mêmes. Pas de différences flagrantes – à moins de connaître l'histoire locale –, mais les gens commencèrent à fréquenter des magasins dans lesquels ils n'avaient jamais mis les pieds. Je perçus nettement le changement lorsque je vis une pancarte dans un magasin de jeans, indiquant : *Nous avons maintenant des pantalons extra-longs pour les grands.* En face, la librairie Aurari remplaçait sa vitrine sombre par du verre transparent et clair.

Je regardais tout cela d'un œil vaguement intéressé, sans toutefois me réjouir outre mesure, car j'étais sûr que la princesse Ileana ne remarquait rien du tout.

Jusqu'à ce dernier vendredi de mai.

Une journée magnifique. Tout était en fleurs, il faisait chaud. On sentait l'été tout proche.

J'attendais Justin à la bibliothèque. Il avait presque fini de ranger les livres. Je pris au hasard un exemplaire de *Dracula* et le feuilletai. Depuis que j'avais lu le livre cet hiver, je me demandais pourquoi Bram Stoker avait raconté tant de mensonges. Des jentis s'étaient liés d'amitié avec lui et n'avaient pas hésité à lui faire découvrir leur univers. Sans doute caressaient-ils l'espoir que, dans son livre, il les décrirait tels qu'ils étaient vraiment, et qu'ils allaient enfin sortir de l'ombre. Qui sait ?… Mais toutes les qualités, tous les pouvoirs qui leur étaient particuliers, il les avait présentés comme quelque chose de foncièrement maléfique. Pourquoi ? Dans quel but ?

Était-ce par jalousie ?

Justin me rejoignit.

– Au revoir les garçons ! claironna Mme Shadwell alors que nous quittions la bibliothèque.

Pour une bibliothécaire, elle était plutôt bruyante.

– Allez, viens, dit Justin. Je veux descendre jusqu'au ruisseau.

Nous traversâmes le campus, illuminé par le soleil de fin d'après-midi. Pour la première fois depuis que j'étais dans le Massachusetts, j'eus le sentiment d'y avoir ma place. Je n'irai pas jusqu'à dire que j'aimais la région. Mais il s'était passé tant de choses depuis mon arrivée à Vlad Drac que je me sentais enfin intégré. Et bien sûr, je me réjouissais à l'idée des longues vacances toutes proches…

Le long de la rive, les arbres formaient désormais une rivière d'ombre. En tout cas, un Californien voyait une rivière dans ce splendide vert obscur. Et les berges baignaient dans une douce lumière – aussi douce que les lèvres d'Ileana sur ma joue.

– C'est mieux comme ça, dit Justin en enlevant les lunettes qu'il portait encore, comme la plupart des jentis, pour se protéger du soleil.

Je le suivis vers le ruisseau, tout en observant les arbres. Nos pas nous conduisirent à un rocher imposant. Il était même si énorme qu'il déviait le cours d'eau. Le sommet était plat. Les ombres des arbres dessinaient des motifs sur les côtés.

Ileana était assise tout en haut.

– Salut, dit-elle.

– Salut, répondis-je, en m'efforçant de prendre un ton détaché. Comment se fait-il que tu ne sois pas à ton cours de piano ?

— Mme Warrener a reporté mon cours à demain, dit-elle. Qu'est-ce que vous faites ici ?

— Je ne sais pas, fit Justin en haussant les épaules. Nous avons eu envie de venir, c'est tout.

— Vous voulez me rejoindre sur le rocher ? demanda Ileana.

Après l'escalade, nous nous assîmes près d'elle. Le ruisseau avait bien changé depuis ce jour de janvier où Grégor et son gang avaient voulu y précipiter Justin. Il s'était élargi et coulait à flots dans un joyeux clapotis, où l'onde étincelante semblait refléter le sourire du soleil.

Justin rampa jusqu'au bord du rocher et regarda en bas.

— Je me demande bien quelle impression j'aurais si je nageais dans cette eau, dit-il.

— Tu ne pourrais pas nager là, répondis-je. Il n'y a pas assez de fond.

— Le ruisseau est plus profond en contrebas, remarqua-t-il. À tout à l'heure. Je ne serai pas long.

Il se glissa au pied du rocher et disparut en un éclair.

Nous laissant seuls, Ileana et moi.

Assis l'un près de l'autre, sans nous regarder, jusqu'à ce qu'elle annonce enfin :

— C'est moi qui ai demandé à Justin de t'amener ici.

— Oh !

— Je tenais à m'excuser auprès de toi. Je n'aurais pas dû m'emporter autant le jour où tu t'es fâché contre Grégor.

Je sais que tu défendais simplement Justin, sans même songer à te protéger derrière la marque que je t'avais faite. J'ai vraiment eu tort d'imaginer que tu aurais pu te comporter ainsi.

– Non, tu avais raison. Je me suis mal conduit envers Grégor, mais je lui ai présenté mes excuses.

– Il m'en a parlé. J'étais sûre que tu te serais excusé, dit-elle.

Elle poussa un soupir avant de poursuivre.

– Tu as tant fait, Cody, pour Justin. D'ailleurs, en aidant ton ami, tu as aidé tous les jentis. Grâce à toi, nous avons bien moins peur. L'eau nous a toujours terrorisés. Le fait que quelques-uns d'entre nous soient maintenant capables de nager nous permet d'espérer que tout est possible, finalement. Je pense que tu es le plus grand ami gadjo que nous ayons jamais eu. Je ne suis pas digne de te demander ça… continua-t-elle. Mais… tu crois que nous pouvons être amis de nouveau ?

À cet instant, sur ce rocher où nous parvenaient le murmure de l'eau et le chant des grenouilles, près de ce merveilleux visage où l'ombre et la lumière dessinaient des paysages, je vécus le meilleur moment de ma vie. Un instant d'une telle perfection que je ne voulais même plus parler. Je ne voulais plus bouger. J'avais envie qu'il dure éternellement.

Je voulais qu'elle le sache. Alors, je l'ai embrassée. Sans rater ma cible, cette fois.

– Je dois t'avouer quelque chose, soufflai-je. Cet extrait de poème que tu as trouvé si drôle, tu te souviens ? Mon but n'était pas du tout de faire rire, et je serais bien incapable d'écrire autre chose. Je ne suis pas du tout poète.

Ileana secoua la tête.

– Le livre que tu m'as offert pour mon anniversaire était un poème à lui tout seul, dit-elle. Un magnifique poème. Aller chercher Justin et lui donner ton sang, c'était aussi un acte poétique. Vasco aurait fait de même pour Anaxandre.

Et elle m'embrassa à son tour.

Justin revint plus tard et nous trouva au même endroit. Le soleil avait disparu, et le rocher commençait à être froid. Nous repartîmes tous les trois vers l'entrée principale du campus.

Ileana et moi cheminions main dans la main sous les arbres.

Il y avait encore de la lumière dans les dortoirs et au foyer, mais ailleurs tout était éteint. En cette soirée de printemps, les silhouettes des toits hauts et plats des bâtiments se profilaient nettement dans la lueur du crépuscule.

Charon s'approcha de nous, les yeux brillant dans l'obscurité. Il agita la queue dans un bruissement que je n'avais encore jamais entendu. Ileana comprit certainement la signification de son geste, car elle affirma aussitôt :

– Oui, nous allons bien, Charon. Nous étions près du ruisseau et, maintenant, nous rentrons. Bonne nuit.

Charon continua à avancer à notre rythme, un peu à l'écart.

– Est-ce qu'il est en colère ? demandai-je.

– Non, pas du tout, répondit Ileana. Mais le véritable travail de Charon commence au crépuscule. Il patrouille dans l'enceinte du campus toute la nuit. Il veut s'assurer que nous rentrons sans encombre. Il prend son travail très au sérieux. Comme la plupart des loups.

Justin marchait à quelques pas de nous. Il voulait sûrement nous laisser seuls tous les deux. Sacré Justin. Il pouvait sans problème me jouer un tour de ce genre quand il voulait…

– Là, en ce moment même, ce doit être le plus bel endroit du monde, soufflai-je.

– Plus beau que la Californie ? demanda Ileana.

– Plus beau que n'importe où.

Nous sommes restés serrés l'un contre l'autre pendant longtemps. Très longtemps.

Charon s'était assis un peu plus loin, comme pour protéger notre intimité.

– Tu dois savoir, Cody, que tous les jentis n'apprécient pas ce qui se passe, reprit Ileana. Les jeunes, oui, mais les plus âgés ont peur. Ils se demandent jusqu'où ça va aller.

– Tu veux dire, des gens comme tes parents ?

– Oui, répondit Ileana.

– Je pense qu'il n'y aura pas de problème, fit une voix grave derrière nous.

Je coulai un regard vers Charon et ne vis que ses yeux. Des yeux qui s'élevaient doucement au-dessus du sol, et atteignirent bientôt une hauteur de plus de trois mètres. Au même moment, j'entendis comme un froissement d'ailes.

Ileana en eut le souffle coupé.

– Que faites-vous ici ? demanda-t-elle.

– Je veille sur la fille unique de ma descendante favorite, répondirent les yeux.

Ileana fit une révérence.

– Ma mère ne m'a jamais dit que vous veilliez sur moi, dit-elle.

– Seul Horvath le savait, répliquèrent les yeux. C'est moi qui en avais décidé ainsi.

– J'aurais bien aimé être avertie, dit Ileana. J'ai l'impression que vous me prenez pour une personne indigne de confiance.

– Ne soyez pas stupide, reprit la voix. Le titre de princesse est un fardeau bien assez lourd. Si vous aviez su que le patriarche de votre famille vivait sur le campus, vous auriez agi avec trop de retenue. Je voulais justement éviter cela.

– Vous n'êtes donc pas un loup du Canada ? questionnai-je.

– Non, répondit la voix. C'est ce que j'avais demandé à Horvath de dire. Vous connaissez mon vrai nom. Je m'appelle Dracula.

Ne sachant que dire, je levai simplement la tête vers les yeux jaunes. L'un d'eux me fit un clin d'œil.

– Cody Elliot, je vous observe depuis que vous êtes parmi nous. Malgré votre maladresse et vos bêtises, vous avez su faire preuve de courage et de générosité. Deux qualités que j'admire. Depuis Bram Stoker, je n'avais plus jamais fait confiance à un gadjo. Mais j'ai entièrement confiance en vous. Je vous confie ce que j'ai de plus précieux : mon arrière… arrière-petite-fille. J'ignore combien de générations nous séparent. Elle est le joyau de son peuple. Nos coutumes nous ont préservés des dangers dans un monde qui nous hait et nous craint depuis des siècles. Et non sans raisons. Mais nous sommes dans un pays différent. Les choses changent, et ont changé. Et grâce à vous, mon cher garçon, elles ont bien plus évolué en cinq mois que depuis ma jeunesse. Je suis très content de ce gadjo, princesse, poursuivit Dracula. Vous êtes jeunes tous les deux, et bien des choses peuvent arriver. Vous pourriez grandir ensemble, ou aller chacun votre chemin. Peut-être même connaître d'autres amours… Je ne sais pas. Mais vous pouvez garder ce garçon si tel est votre désir.

– Malgré tout le respect que je vous dois, ancêtre, je le garderais même si vous me disiez que je ne peux pas, dit Ileana. Et je ne vous permettrais pas de me l'interdire.

Le rire de Dracula ébranla le sol.

– Voilà la réponse que j'espérais ! Vous avez bien hérité de mon sang !

Dans l'obscurité, une main énorme et lourde trouva la mienne et l'étreignit. Puis une griffe épaisse s'appliqua à dessiner un motif sur ma joue.

– Cela vous épargnera bien des discussions et bien des ennuis auprès des parents d'Ileana. Mais vous devrez vous débrouiller avec les vôtres.

– Ne vous inquiétez pas, dis-je.

– Je ne m'inquiète pas, répondit Dracula. Adieu princesse. Maintenant que vous connaissez la véritable identité de Charon, il m'est inutile d'en garder l'apparence. Et puis les vacances approchent. J'irai passer l'été dans les Carpates avec de vieux amis. Je reviendrai à l'automne pour voir si tout se passe bien. Saluez bien vos parents pour moi.

Il recommença à se transformer. Je sentis un bruissement d'air lorsqu'il ouvrit ses ailes, et je les entendis crisser alors qu'il les déployait petit à petit.

– Dix-sept mètres d'envergure, annonça-t-il. La vieille chauve-souris peut encore voler !

Il battit des ailes, une fois, deux fois, produisant un souffle qui nous fouetta le visage, et je le vis s'envoler au clair de lune.

Ileana dit alors :

– Nous devrions rattraper Justin.

22

Épilogue

Voilà à peu près tout ce qui s'est passé. C'est grâce à Ileana que j'ai eu l'idée de raconter ces événements par écrit et de vous rendre ça comme devoir d'anglais. Elle et Justin m'ont beaucoup aidé à me souvenir de tout et à taper mon texte. Ils m'ont également fourni des conseils sur le style. Mais l'auteur, c'est moi.

Ce n'est pas une épopée, et je suis bien loin des quatre cents pages, mais je suis sûr, monsieur Shadwell, que vous évaluerez ce travail comme s'il s'agissait d'un devoir de jenti.

Cody Elliot

Roman à clef? Roman d'apprentissage? Je ne sais pas très bien dans quelle catégorie ranger ce texte, mais c'est avec grand plaisir que je lui attribue un 10 bien mérité.

N. P. Shadwell

TABLE DES MATIÈRES

DANS LA COLLECTION

MiLaN POCHe

JUNIOR

Cet ouvrage est imprimé sur du papier
fabriqué à base de fibres provenant
de forêts gérées de manière durable et équitable

Achevé d'imprimer en France
par CPI France Quercy, à Mercuès
Dépôt légal : 1er trimestre 2010
N° d'impression : 00219b